新世紀叢書

當代重要思潮・人文心靈・宗教
社會文化關懷

沉默

遠藤周作文學創作第二高峰
榮獲谷崎潤一郎獎

遠藤周作◎著
林水福◎譯

主啊！
人類是如此悲哀！
大海卻異常蔚藍！

——「沉默之碑」碑文

1987 年 11 月於
長崎外海町揭幕

作品。或許，不朽作品往往產生正反兩極的看法吧！谷崎潤一郎獎選考委員之一的伊藤整，即反對把票投給《沉默》，他認爲「閱讀之後有昏昏欲睡之感」；大岡昇平則坦率地指出末尾的「到今天爲止，我的人生本身就在訴說著那個人。」過於傲慢；而三島由紀夫所直陳的缺點是：末尾「那個人並未沉默著」的主題之轉換，不無疑問。

在衆多評論中，無可否認的有搔中癢處者，也有一針見血者；但，未深入研究且太過武斷之評論，及因忽略末尾「天主教住宅官吏日記」而未正確「讀」出作者深意，甚或因此而產生誤解者亦爲數不少。純文學，尤其是作者嘔心瀝血的創作，每一字每一句均經再三推敲始定稿，自無在作品末尾「附」上七頁「贅言」之可能。事實上，「天主教住宅官吏日記」中隱含玄機，非但不可略過，更應再三熟讀。

取名「沉默」的理由

作者取名爲「沉默」的理由有二：

㈠反抗歷史的沉默

遠藤自稱於準備階段時，發現天主教資料中，對許多像吉次郎之類的信徒，或像洛特里哥神父般的棄教者，都表現出蔑視、憎恨的態度。換言之，天主教史上只對轟轟烈

〈導讀〉沉默的世界

林水福

前言

一九九六年九月二十九日，一生爲天主服務、奉獻的遠藤周作先生離開人世，回到主的身旁，家人遵奉遺言把《沉默》和《深河》放入棺中陪伴遠藤。

《沉默》不但是探討遠藤周作文學的最重要作品之一，也探討基督宗教在東方社會紮根時面臨的問題，其中包含東西方文化的差異等等。

《沉默》與《深河》無疑會是二十世紀日本文學的代表作。

評論家對《沉默》的幾種看法

發表於一九六九年的《沉默》是一部評價極高的作品，但同時也是引起許多爭議的

1986 年 11 月，應輔仁大學之邀蒞台，於「第一屆國際文學與宗教會議」中演講。與林水福教授（中）、秘書（左一）攝於中正紀念堂。

1991 年 12 月，獲頒輔仁大學名譽博士學位。右為輔仁大學校長羅光。

烈而死的殉教者加以讚美，描述他們的生平或死亡；但是，對像吉次郎或洛特里哥神父般的信徒或神職人員，則只有漠視相向。亦即，天主教的歷史將他們深埋在沉默之灰下，儘量不讓他們顯露出來。

可是，從另一個角度來看，這些被漠視的人，既然身而爲人，那麼，對因己身的軟弱而做出的棄教行爲，自有不可與他人言的痛苦。能夠替他們說出被深埋在沉默之灰下的痛苦的只有小說家了，因此，「沉默」其實包含了反抗歷史的沉默之意義。

(二)探索神的沉默

在我們整部人類的歷史當中，或個人的人生裡頭，一定經驗過無數的「神的沉默」。對神的沉默，冷淡接受者，不是憎恨神的無情，就是不承認曾經見證過。這部小說，表面上看來，似乎是描寫神的沉默；其實，在作品的深處，神並非沉默著。作品中，作者運用多重場面的寫法，隱約透露出這個訊息。茲舉一例，如：

司祭把腳踏到聖像時，黎明來臨，遠處傳來雞啼。

這一行的背後，其實和新約聖經中有名的伯多祿背叛耶穌的畫面相重疊。遠藤作品中常運用這種多重映像重疊的寫法，讀者如不細加咀嚼，不容易察覺到它的巧妙處，那麼，作者的一番苦心當然也無由領會了。一部傳世不朽的作品，自然是作者嘔心瀝血的創作，但讀者也需要付出相當努力的代價，始能心領神會。有關遠藤多重映像重疊的寫法，留待下節中討論。

沉默的主題

作者在《沉默》中探討的問題相當多，當然，所謂探討，事實上就是作者個人對於事情的觀點、看法及至於思想的小說化。

《沉默》中的第一個主題即，神並非沉默著，神是存在的。遠藤文學中的一個基軸——證明神的存在。如何證明神的存在？這是非常困難的。我們無法用眼睛直接看到神，但神透過我們的人生，告訴我們祂的存在。我們向神祈禱，無法直接得到神的回答，但這並不是說神像冰塊一樣一直沉默著，祂是以我們肉眼看不到的「作用」回答我們的。

《沉默》中，作者透過茂吉、一藏的殉教，以及吉次郎出賣司祭洛特里哥，和洛特里哥本身的棄教過程等等，來告訴我們神的存在。如果神不存在，吉次郎在棄教、出賣洛特里哥神父之後，為何還緊追神父背後不捨？甚至於在神父表面上棄教之後，仍然要神父聽他告解，為他向神祈求寬恕呢？而作品末尾的「縱使那個人是沉默著，到今天為止，我的人生本身就在訴說著那個人。」「那個人」指的是神，也就是耶穌基督。如果《沉默》的故事在此完全結束，無疑的，在小說結構上是一大漏洞，也會讓讀者感到百思莫解。爲何洛特里哥會突然發出如此「豪語」呢？不錯，促成洛特里哥踏著聖像的是神的愛。棄教的費雷拉神父說服洛特里哥的部分對話如下：

「你認為自己比他們①更重要吧！至少認為自己的得救是重要的吧！你如果說出棄教，那些人就可以從洞裡回來，從痛苦中獲救。雖然如此，你還不棄教，因為你覺得為他們背叛教會是很可惜的，像我這樣變成教會的污點是可怕的。」費雷拉憤怒的聲音，一口氣說到這裡，之後逐漸轉弱，「我也是這樣的。在那黑暗而寒冷的夜晚，我也和現在的你一樣。可是，那是愛的行為嗎？司祭必須學習為基督而生，如果基督在這裡的話。」

費雷拉沉默了一瞬間，馬上以清晰有力的語氣說：

「基督一定會為他們而棄教的！」

天色逐漸亮了，到目前為止，黑漆漆的圍牆內也開始出現朦朧的白光。

「基督會為人們而棄教吧！」

「沒有這回事！」司祭以手掩面，聲音從指縫間擠出：「沒有這回事！」

「基督會棄教吧！為了愛，即使犧牲了自己的一切。」

「不要再折磨我，走吧！走得遠遠的！」

司祭大聲哭泣。門栓發出低沉的聲音，掉落地上，門開了。白色的晨曦從打開的門瀉入。

「哪！」費雷拉溫柔地把手放在司祭肩上說：「去做至今沒人做過的最痛苦的愛德行為。」

偷渡到日本之後，司祭目睹過信徒被逼迫的痛苦，以至於殉教的場面；但是，那場面卻跟聖經中耶穌被釘在十字架上光榮殉教的場面不同，也跟許多聖人轟轟烈烈的殉教情形不同。那場面看來是多麼淒慘、恥辱，絲毫沒有想像中的「壯烈」氣氛，身爲司祭仍免不了有這種「虛榮心」，這種諷刺筆調是遠藤文學的一個特色，對神職人員的描寫亦不例外。然而，最後促使他棄教的是基督的愛德行爲，以及——

凹下的那張臉難過似地仰望司祭。那雙難過似地仰望著自己的眼睛訴說著：踏下去吧！踏下去沒關係，我是為了讓你們踐踏而存在的。

司祭一生以那個人爲學習榜樣，認爲那個人的臉是世界上善與美的結合，因此，最後促使司祭決定踏聖像的是那個人——耶穌基督。問題是，如果《沉默》的故事在這兒就完全結束，那麼洛特里哥的棄教，要是被解釋成屈服於威脅利誘下，也是無可奈何的事。在這裡，遠藤設下了《沉默》的後設部分——「天主教住宅官吏日記」，暗示洛特里哥雖然踏了聖像，但並未眞正棄教，仍繼續「執行」司祭的任務，在延寶二年兩次被遠江守強迫寫下棄教的切結書。過程是：本應從正月廿日至二月八日書寫，可能後來沒寫，於是在二月十六日書寫，遠江守派傳右衛門、河原甚五兵衛兩名武士到三右衛門（即洛特里哥）住處監視。第二次是在山屋敷書院，從六月十四日至七月廿四日書寫的。兩次被迫書寫期間，受到拷打的可能性也相當大。再者，後來吉次郎被從掛於頸上之「護身符」中，搜出「天主教耶穌像一幀」，吉次郎的好友一橋又兵衛也受到牽連被捕入獄。遠江守親自調查、審問，當時還懷疑「是否三右衛門給的？」由此可見，洛特里哥並非完全棄教，與本文末尾「在這個國家，我現在仍然是最後的天主教司祭。」緊密契合在一起，兩者不可分離。「天主教住宅官吏日記」的意義在此，絕非可有可無部分。

反過來說，從洛特里哥最後並未完全棄教，以及吉次郎也企圖重新信仰天主教的行爲來證明神的存在。神藉著以祂形體創造的人的身上，告訴世人祂的存在；而祂所創造的人，靠著自己的人生來證明祂的存在。

《沉默》的第二個主題是「母性宗教」觀。一九七七年，遠藤在〈父性宗教、母性宗教〉一文中指出：

我要聲明的是，天主教並非如白鳥②誤解的只有父性宗教，天主教中也包括了母性宗教。這並不是像隱匿的天主教崇敬瑪麗亞那麼單純的，而是由新約聖經的性格造成的。新約聖經是在「父性宗教」的舊約世界中導入母性性格，因而形成父性、母性兼具者。

現實生活中，遠藤幼時父母離異，他與母親兩人相依爲命，一方面養成了遠藤對母親的依賴，另一方面他曾「背叛」母親，回到父親身旁，同時信仰方面接受了父性宗教的洗禮，可謂雙重背叛。由於這種關係，遠藤文學中一再塑造、強調天主教中的「母性」部分，作品中出現的基督，往往帶有「母性」性格，即寬容的、溫柔的，對犯過錯的信徒＝子女，不但原諒他，寬恕他，還接納他，給予恩寵。《沉默》中，暗示母性宗教之處不少，諸如：

> 聖像中的那個人，由於被許多人踏過，已磨損、凹陷，以悲傷的眼神注視著司祭。從那眼中，有一滴眼淚欲奪眶而出。③
>
> 那張臉，現在，在這黑暗中就在他眼前，默默地，但卻以溫柔的眼神凝視著自

己。（你痛苦的時候，）那張臉似乎在訴說著。（我也在旁邊跟著痛苦，我會陪伴你直到最後。）

午後陽光閃爍的港灣前方，一大塊積亂雲鑲著金色的邊緣湧上來。……自己與卡爾倍和他們有所關連，而且和十字架上那個人結合的喜悅，突然強烈拍打著司祭的心。這時，那個人的臉，以從未有過的鮮明影像向他逼近。那是痛苦的基督！忍耐的基督！他在心中祈禱自己的臉和那張臉馬上接近。

「悲傷的眼神」、「有一滴眼淚欲奪眶而出」、「溫柔的眼神」、「痛苦的」、「忍耐的基督」等等，都是母性影像的特殊描述，至於「和十字架上那個人結合」的說法，更是除非母性、女性，否則無法成立的表現方式，在在都透露出遠藤母性宗教觀的經營苦心。

再者，《沉默》的另一主題——弱者的復權——也與「母性宗教」觀有著極密切的關連。上述遠藤取名「沉默」的理由之一是，對歷史沉默的抗議，也就是對被迫棄教的信徒或神父有意加以蔑視而深感不滿。弱者的復權，可說是遠藤文學的一大特色。遠藤作品中的主角，可說無一英雄式的人物，例如：《我・拋棄了的・女人》中，遠藤即以命運坎坷、淪爲妓女的森田蜜爲主角，《沉默》的主角是吉次郎。洛特里哥書信中，對吉次郎的印象是這樣子的：

我上次提到的那個日本人吉次郎，也和中國水手們一起搬運行李，幫忙整理船帆。我們一直很注意地觀察著這個可能成為左右我等往後命運的日本人。現在，我們了解到他的個性相當狡猾，而這狡猾是從他軟弱的個性產生的。

在《沉默》的前奏中，已勾勒出吉次郎的個性，而這軟弱、狡猾的男子，卻成爲往後左右洛特里哥命運的人物，即暗示著吉次郎在《沉默》中所擔負的意義何等重大！洛特里哥以耶穌基督自擬，而吉次郎即那背信的猶大；如聖經中猶大出賣了耶穌，《沉默》中的吉次郎也出賣了洛特里哥。吉次郎雖然出賣了洛特里哥，但卻仍緊緊跟隨在後，祈求神父原諒他。從以下吉次郎的話及洛特里哥內心的思考，看得出弱者逐漸「復位」，主張弱者亦有其存在的權利。

「茂吉很堅強，就像我們種的長得碩壯的秧苗；可是，軟弱的秧苗無論再怎麼施肥都長不好，不會結稻穗。神父！像我天生是個懦弱的人，就跟這種秧苗一樣呀……」

……

如吉次郎所說，世人並不只限於聖人和英雄。要不是生長在這遭受迫害的時代，不知有多少信徒根本不必棄教或捨棄生命，可以一直信守著幸福的信仰呢！他們只是平凡的信徒，最後被肉體的恐怖擊倒了。

……

人，天生就有兩種，即強者和弱者；聖人和凡人；英雄和懦夫。然而，強者在這樣的迫害時代，能忍受因信仰而被火焚燒或沉入海底吧！可是，弱者就像吉次郎在山中流浪。你到底屬於何者？要不是因為司祭的自尊和義務的觀念，或許我也跟吉次郎一樣踏了聖像。

從這裡我們也可以看出，主角是吉次郎無誤。本來在洛特里哥心目中的吉次郎，是個最卑下的人，較諸惡人猶爲不如，因爲惡人還有惡人的力與美，但是吉次郎卻如骯髒的破衣服；可是，以基督爲典範的洛特里哥想到，聖經上基督所尋找的，不是像患了血漏的女人，就是如被扔石頭的娼婦般，毫無吸引力、一點也不美的人。基督就是愛，然而喜歡有吸引力的、美的東西，這是誰都能辦得到的，那不是愛；不捨棄已褪色、如襤褸般的人和人生，那才是眞正的愛。司祭不能無視於弱者吉次郎的存在，最後答應吉次郎的要求，聽了他的告解，也爲他祈禱「安心地去吧！」告解是天主教七大奧蹟之一，也就是全能的神對人的救贖；換言之，也是神的愛的表徵。「沒有所謂的強者與弱者，誰又能斷言弱者一定不比強者痛苦呢？」司祭最後悟出的這句話，爲弱者下了最好的註腳！

《沉默》中所探討的問題，除了上述三個主題之外，其實還涉及到諸如天主教在日本的改變，以及紮根的問題。洛特里哥與費雷拉的精采對答，道出了遠藤針對天主教土著化的獨特看法。類似的觀點，其實遠藤在初期的評論〈諸神與神〉和〈不合身的西裝〉中已明顯指出，在此不再贅述。「棉花的行列」的詩句，不禁脫口而出，「棉花的行列」暗示著「神的羔羊」。《沉默》中，洛特里哥被關在黑漆漆的圍牆內，這黑漆漆是死亡與誕生毗鄰而居的，原初的黑暗，也是女性子宮的象徵。洛特里哥在這裡描繪的基督的臉「以含著溫柔的目光注視著自己」，那份「溫柔」，無疑的是母性的溫柔，也難怪乎司祭想接近祂。當司祭在心中做最後決定，要踐踏聖像時，黎明的曙光——象徵著神的恩寵——迎接著他。

另外，吉次郎向官吏密告洛特里哥藏身處時，作者以蜥蜴象徵吉次郎。「陽光下，我發覺蜥蜴偷瞄著我的膽怯的臉孔，跟剛剛走掉的吉次郎一模一樣。」尾巴對蜥蜴而言，代表著什麼呢？在形態上沒了尾巴不算完整，但卻不致於威脅到生命的持續；另一方面，蜥蜴沒了尾巴仍會自然再長出來，這不也象徵著吉次郎屢次出賣神父，作出棄教的行爲；可是，過一段時間，如尾巴自然長出般，信仰也在吉次郎心中再生長嗎？

結語

《沉默》是遠藤文學的第二高峰（第一高峰爲《海與毒藥》），其中所包含的意義，絕非這篇〈導讀〉所能道盡的。故事的背景雖然在日本，但是遠藤所要探討的卻是普遍性的東西，信仰以及東西方文化之異同等等，又何嘗不是我們切身的問題呢?!

註釋

①指受穴吊的人。
②指正宗白鳥，日本近代作家。
③旁邊的黑點係引用者所加，以下同。

沉默 遠藤周作

前言

有一份報告送到羅馬教會，內容中指出：由葡萄牙的耶穌會派往日本的費雷拉•克里斯多夫教父在長崎遭受到「穴吊」的拷刑，已宣誓棄教。這位教父在日本定居了三十三年之久，身居教區長之最高職位，是統率司祭與信徒的長老。

這位教父神學造詣之深，堪稱稀世之才。在德川幕府禁教令下仍潛伏於京都、大阪一帶傳教不輟。他在信中經常表現出堅定不移的信念，因此無論遭遇到任何情況，大家都不相信他會背叛教會。在教會中或耶穌會裡，也有很多人認為那份報告可能是出自異教徒的荷蘭人或日本人揑造的，也可能是誤傳的。

從傳教士的來信中，羅馬教會對在日本傳教的種種困難當然非常了解。自從一五八七年之後，日本的諸侯豐臣秀吉改變以往的政策，開始迫害天主教。他首先在長崎的西坂將二十六名司祭和信徒處以焚刑，還把各地許多的天主教徒驅出家門，施以拷打、殘殺。德川將軍對這政策採取蕭規曹隨，於一六一四年決定將所有天主教的神職人員驅逐出境。

根據傳教士們的報告，這一年的十月六日和七日兩天，包括日本人在內的七十幾名司祭被迫在九州和木鉢集合之後，押上開往澳門、馬尼拉的五艘帆船，驅逐出境。那是個下雨的日子，灰色的海上波濤洶湧，在雨中，船從海灣穿向海角，消失於水平線的彼方。儘管日本政府已頒佈了嚴厲的驅逐令，其實還有三十七位司祭，不忍心捨棄信徒，化明為暗仍潛伏在日本並未離去；費雷拉教父就是其中之一。他不斷寫信把陸續被捕、被處死的司祭和信徒的情形向上司報告。他在一六三二年三月二十二日從長崎寄給巡察師安特列・巴爾美洛神父的信函，現在都還保留著呢！信上對當時的情形有詳細的說明：

我在前一封信中已向您報告本地天主教的情形，現在繼續向您報告後來發生的事。所有的威脅和壓迫方式都跟以往不同。就讓我先從一六二九年之後，五名因信仰問題而被捕的修道士身上所發生的事開始談起吧！那五人即巴爾特洛美・古奇耶列斯、方濟・德・赫斯、比仙提・德・安東尼歐等三位奧古斯汀會士，和我們耶穌會的石田安東歐修士，還有方濟會的卡布列耶魯・德・聖・馬答列納神父。長崎奉行①竹中采女強迫他們棄教，並藉此嘲弄我們神聖的教義和祂的僕人，挫信徒們的勇氣；不過，采女很快就了解到光是語言改變不了神父們的決心，因此，他決定改弦易轍利用雲仙地獄的熱水來「侍候」他們。采女下令：將五名司祭帶到雲仙，用熱水「拷問」他們，直到他們放棄自己的信仰為止，但絕不能殺掉他們。除了這五人之外，安東尼歐・達・西魯之妻貝亞特麗吉・達・柯絲達和其女兒瑪利亞，也因為采女長時間勸她們棄教都相應不理，亦被一併處理。

十二月三日，他們從長崎出發前往雲仙。兩名女性坐轎，五名修道士騎馬，和眾人分別。來到距離不過一reguwa的日見港時，手就被綁起來，連腳也被扣上腳鐐。上了船之後，一個個被分開緊緊地綁在船舷旁邊。

傍晚，他們抵達雲仙山麓的小浜海港。翌日，上山之後，七個人分別被關進小屋裡，手銬腳鐐日夜不離身，還有護衛嚴密監視著。儘管采女的部下人數眾多，代官②仍然派遣警吏嚴加戒備。在通往山上的各條路上，均派人監視，除非有官方的通行證，否則一律不准通行。

第三天進行拷問——首先把七個人單獨帶到池邊，強迫他們看著滾燙的池水濺起泡沫，希望他們在嘗到皮肉之苦以前，能放棄天主教的信仰。由於天寒地凍，滾燙的池水更是懾人魂魄，要不是有神的護佑，光看這情景就足以令人昏厥；但是，因為所有的人都有神的支持，勇氣倍增，嚷著快拷問吧！我們絕不放棄自己的信仰。官吏們聽到這堅決的回答，馬上命令他們脫掉衣服，用繩子綁住他們的手腳，然後用半加侖容量的杓子舀熱水淋在他們身上——那還不是一口氣全部倒下去，而是在杓子底下鑽了幾個洞，讓熱水慢慢流下，使痛苦延長。

天主教的英雄們，身子一動也不動地忍受著這種恐怖的痛苦，只有年輕的瑪利亞受不了痛苦而仆倒在地。官吏看到了叫著「棄教了！棄教了！」他們把少女抬到小屋裡，準備翌日送回長崎。瑪利亞拒絕回去，堅決表明自己並未棄教，要和母親和其他人一起接受拷問，但是官吏不從。

其餘六人繼續留置山上，度過三十日。其間，安東尼歐、方濟兩神父和貝亞特麗吉各受到六次熱水的拷問，比仙提神父四次，巴爾特洛美神父和卡布列耶魯神父各兩次，他們連哼一聲都沒有。

安東尼歐神父和方濟、貝亞特麗吉所受的拷問時間比其他人都長，尤其是貝亞特麗吉，雖然身為女性，但是在各種刑罰加身、勸告時，都表現出巾幗不讓鬚眉的勇氣，因此，除了嘗到澆熱水的痛苦之外，還遭受各種刑罰，被迫長時間站在小石頭上挨人辱罵；然而，官吏們越是憤怒，她越表現出大無畏的精神。

其餘的人由於身體孱弱又有病在身，並未遭到太大的折磨。采女本無殺他們之意，只是希望他們棄教罷了，還特別派了一位醫生到山上來替他們療傷。

最後采女覺悟到無論採取任何手段，自己是贏不了的。部下反而向他報告：從神父們的勇氣和力量來看，恐怕在他們還沒來得及改變心意之前，雲仙的所有泉水和池水已先告罄。於是，他決定把神父們送回長崎。一月五日，采女把貝亞特麗吉．達．柯絲達收容在某來歷可疑者的家裡，並把五名神父關入城內的監獄。他們目前還在該監獄裡。我們神聖的宗教終於粉碎了暴君采女先前的計畫、期待，不但贏得大眾的讚揚，更增加了信徒們的勇氣，戰績顯赫。

羅馬教會相信寫這樣的信的費雷拉敎父，即使受任何的拷問，也不會放棄神和教會而向異教徒屈服。

一六三五年，以羅比諾神父爲主，有四名司祭在羅馬聚會。他們爲了洗刷費雷拉棄教的恥辱，計畫無論如何也要偷渡到日本那天主教遭受到迫害的國度裡偷偷傳教。

這種有勇無謀的計畫，教會當局一開始就不贊成。以上司的立場，對他們的熱忱和傳教精神表示讚賞；可是，要把司祭們送到極爲危險的異教徒國家，卻不表贊同。不過，從另一方面來看，自從聖方濟・薩比耶爾之後，天主教在東方的日本已播下最佳種子，如果因爲失去了領導者而使信徒逐漸減少，也很值得重視。不僅如此，從當時的歐洲人眼中看來，費雷拉敎父在世界盡頭的一個蕞爾小國被迫棄教，這件事不只是他個人的挫折，同時也是整個歐洲信仰、思想的恥辱和失敗。在這種強烈意識下，經過幾番波折，最後還是准許羅比諾神父和四名司祭渡日。

另外，葡萄牙方面也有三名年輕司祭依不同的理由計畫偷渡赴日。他們是從前費雷拉敎父在卡姆波里特左修道院敎書時的神學生——佛朗西斯・卡爾倍、赫安提・聖・馬太和薛巴斯強・洛特里哥等三人。他們可以接受恩師費雷拉已光榮殉教的說法，但是他們無論如何都不相信恩師會像狗一樣屈服在異教徒面前。其實，這不只是三名年輕人的共同看法而已，也是所有葡萄牙神職人員的一致心情。三人準備親自到日本調查事情的眞相。這裡的情形也跟義大利方面差不多，最初上司也不答應，後來被他們的熱誠所感動，最後允許他們到日本做危險的傳教活動。這是一六三七年的事。

三名年輕司祭馬上準備做長途旅行。當時葡萄牙傳教士要到東方來，通常都先搭乘從里斯本開往印度的印度艦隊，那時印度艦隊的啓航是里斯本市最熱鬧的活動之一。在三人印象中地球盡頭的東方，而且是最邊緣的日本，現在形狀鮮明地浮現在眼前。翻閱地圖時，非洲的對面是葡萄牙、印度，印度前面有衆多的島嶼和亞洲的國家分佈著，而日本的形狀活像一條幼蟲，在東邊爬行，要摸索到那裡，必須先到印度的臥亞，然後渡過許多大海、歷經長期的歲月才能抵達。臥亞，自從聖方濟・薩比耶爾之後，已成爲東方傳教的踏腳石。在這裡的兩所聖保祿神學院有從東方各地前來留學的神學生，同時這裡也是發願一輩子都爲主服務的歐洲司祭了解各國情況，和爲了搭船前往各國需要等候一年半載的候船處。

他們三人盡一切可能去了解日本，幸好路易・佛洛依斯之後，已有許多葡萄牙傳教士從日本送回情報。據說新的將軍德川家光所採取的高壓政策，比起祖父和父親時代更爲嚴苛，尤其是長崎地方，自從一六二九年暴虐殘酷的竹中釆女任長崎奉行後，常用嚴刑加諸信徒身上，把滾燙的溫泉淋到囚犯身上，強迫棄教，有時候一天的犧牲人數不下六、七十人。費雷拉教父本身也曾經把這情形向祖國報告，所以傳說中的應該是事實。總之，他們一開始就覺悟到在長途而艱辛的旅途結束之後，等候著他們的是比旅途更爲嚴厲、無情的命運。

薛巴斯強·洛特里哥一六一〇年出生於以礦山聞名的達斯可城，十七歲入修道院，赫安提·聖·馬太和佛朗西斯·卡爾倍出生於里斯本，兩人與洛特里哥一起在卡姆波里特左修道院受教育。他們三人在神學院時，讀書、生活都在一塊兒，對教授自己神學的費雷拉教父記憶猶新。

洛特里哥他們猜想，費雷拉老師現在一定還活在日本的某個地方。有著碧藍而清澄的眼睛，充滿著慈祥光輝的費雷拉老師的臉，受到日本人的拷刑之後會變成什麼樣子呢？他們無論如何想像不出受屈辱而扭曲的臉是什麼樣子？他們不相信費雷拉老師會拋棄神、拋棄他的慈祥。洛特里哥和他的同伴無論如何要到日本，探查老師是生或死。

一六三八年三月十五日，三人搭乘的印度艦隊在貝列姆要塞的大砲祝賀下，從泰約河口出發。他們接受了約翰·達西哥主教的祝福之後，就上了司令官搭乘的「聖·依莎貝爾號」艦。艦隊駛出黃色的河口，在藍色的大海航行時已是正午時分。他們靠著甲板，眺望閃亮著金光的海角、山巒以及農家的紅牆和教會。歡送艦隊的教會鐘聲，隨風飄送到甲板上來。

當時，要到東印度就必須繞到非洲的南端。這支艦隊在出發的第三天，於非洲西岸遇到暴風雨。

四月二日，艦隊抵達波爾多・珊特島，不久過馬迭納島，六日抵達加納利亞諸島之後，雨下個不停又碰到無風狀態。後來，被潮流從北緯三度線沖回五度，撞到幾內亞海岸。

無風時，酷暑難耐，再加上各船均有多人生病，「聖・依莎貝爾號」的船員躺在甲板和床上呻吟的病人也逾百人。洛特里哥和船員忙著看護病人，幫他們放血。

七月二十五日，聖雅各節日，船好不容易才繞過好望角。繞過好望角的那天，又遇到暴風來襲，船的主帆斷裂，掉到甲板上發出巨大聲響。病人和洛特里哥他們都加入搶救的行列，當他們準備搶救前部帆時，船觸礁了，幸好有其他船艦馬上來救援，否則「聖・依莎貝爾號」可能就這樣沉入海底呢！

暴風雨來襲之後，又碰到無風狀態。主帆無力地下垂，只有黑影落在躺於甲板上如死人般的病人的臉和身上。海面上每天閃鑠著燠熱的亮光，看不到微波蕩漾。船航行的日期越長，食糧和水分越缺乏。到達目的地臥亞時已是十月九日。

他們在臥亞所得到的有關日本的情報，比在祖國時更爲詳細。據說：就在他們三人出發的那年一月起，有三萬五千名日本的天主教徒起義，以島原爲中心和幕府軍苦戰的結果，不分男女老幼全都被殺個精光。這次戰爭結束後，當地變成杳無人跡的荒地，殘存的天主教徒也被像打虱子般消滅淨盡了。不僅如此，對洛特里哥他們打擊最大的消息是，由於這次的戰爭，日本已和葡萄牙全面斷絕通商和貿易，更禁止葡萄牙船入境。

三名司祭知道祖國的船隻不能開往日本之後，懷著絕望的心情來到澳門。這個城市是葡萄牙在極東的根據地，同時也是日本和中國貿易的基地。他們抱著幾許僥倖的期待來到這裡，但很快就受到巡察師威利也諾神父嚴厲的警告。神父說在日本傳教根本不可能，而且澳門的傳教會也不打算利用危險的方法送傳教士到日本。

這位神父十年前就在澳門成立傳教學院，培養傳教士到日本和中國傳教。自從日本禁教之後，也委託他代爲管理在日本的耶穌會。

威利也諾神父對三人登陸日本後要尋找的費雷拉教父的說明如下：「自從一六三三年之後，潛伏在日本的傳教士的音信就完全斷絕了。聽從長崎回到澳門的荷蘭船員說，費雷拉教父已被捕，在長崎遭受到『穴吊』的拷刑。由於那艘荷蘭船在費雷拉教父遭受到『穴吊』拷刑的那天啓航，因此以後的事就不得而知了。在當地打聽到的是：由新上任的宗教負責人井上筑後守③審問費雷拉教父。」威利也諾神父明白指出：在這種情況下，以澳門傳教會的立場無法同意他們到日本傳教。

現在，我們還可以從葡萄牙「海外領土史研究所」所藏的文書中，看到幾封洛特里哥書函。他的第一封書信如上述，是從他跟兩個同事自威利也諾神父處聽來有關日本的情勢開始寫起的。

譯註

①江戶幕府置於長崎之執政官，負監察對荷蘭、對中國貿易之責，亦執行市政。

②日本江戶時代，諸藩直轄地負責行政的官吏。

③筑後位於現在的福岡縣南部，「守」意為地方長官。

沉默

1 薛巴斯強・洛特里哥書信

遠藤周作

主的平安。基督的榮光。

我們在去年十月九日抵達臥亞。五月一日從臥亞到澳門，這些事前一封信中已向您報告過了。在艱苦的旅途中，同事赫安提・聖・馬太深為瘧疾發熱發冷所苦，體力消耗甚大，只有我和佛朗西斯・卡爾倍在這所傳教學院受到眞誠的款待，體力充沛。

不過，這所學院的院長——十年前就住在這兒的威利也諾神父——一開始就反對我們到日本。我們在可以眺望全港口的神父居室中討論這件事，神父說：

「我們必須放棄派遣傳教士到日本的念頭。對葡萄牙商船而言，海上的航行極為危險，到達日本之前還會遭遇到幾個障礙。」

神父的反對極為有理，因為自從一六三六年之後，日本政府一直懷疑島原之亂①與葡萄牙人有關，不只是全面斷絕通商，而且從澳門到日本近海的海上，常有新教徒的英國軍艦出沒，對我商船加以砲擊。

「可是，靠著神的護佑，我們的偷渡說不定會成功呢！」赫安提・聖・馬太眨眨充滿熱誠的眼睛說。

「那裡的信徒們現在失去了司祭，就像一群孤立無援的羔羊。無論如何，應該有人去鼓起他們的勇氣，不要讓信仰的火種熄滅。」

這時，威利也諾神父歪著頭沒說話。看得出來他一直對身為上司的義務，和對日本可憐的信徒被逼迫的命運，深深感到懊惱。老司祭手肘靠在桌上，用手掌支撐著額頭沉默了好一陣子。

從神父的房間看得到遙遠的澳門港，在夕陽照射下海變成紅色，帆船如黑漬點點浮在海面上。

「我們還有一件工作，那就是探尋我們的老師費雷拉敎父是否安然無恙？」

「關於費雷拉敎父的行蹤，後來消息杳然。有關他的消息都不明確，我們連分辨眞僞的能力都沒有。」

「這麼說，他還活著囉？」

「這也不太清楚。」威利也諾神父吁了一口氣，分不清是吐氣或嘆息？然後，他抬起頭來。

「以前他會定期寄送書信來，自從一六三三年之後就中斷了。他究竟是不幸病死了？或是被送入異敎徒的牢獄裡？或者如您們所想像地已光榮殉教了？亦或仍活著但沒有途徑寄書信呢？現在的情況什麼都不明確。」

那時，威利也諾神父對謠傳中費雷拉敎父屈服於異敎徒的拷刑一事未置一辭。他是否也跟我們一樣，不願把那樣的猜測加諸於昔日同事的身上呢？

「不僅如此……」他好像自言自語地說：「現在日本令天主敎徒頭痛的人物出現了，他的名字叫井上。」

井上這名字，我們是在這時候第一次聽到的。威利也諾神父說，跟現在這個井上比起來，前任的長崎奉行，即殘殺許多天主教徒的竹中，不過是個殘暴、有勇無謀的人罷了。

爲了記住不久登陸日本後可能會碰上的這個日本人的名字，我們在口中重複唸了好幾遍。

威利也諾神父對這個新奉行，從九州的日本人信徒最後送來的書信中，多少有點認識。據說：島原之亂後，鎮壓天主教的實際負責人就是這個井上。他跟前任的竹中完全不同，狡猾得像條蛇，利用巧妙的方法使以往對威脅、拷刑毫不畏懼的信徒們一個個地棄教。

「可悲的是——」威利也諾神父說：「他，曾經皈依和我們相同的宗教，還受過洗呢！」

對這個迫害者，我想以後還會跟您報告……。結果，就上司而言極爲愼重保守的神父，被我們（尤其是卡爾倍同事）的熱忱感動，最後准許我們偷渡赴日。大局已定。爲了教化日本人和主的榮光，今天我們總算來到東方。今後的行程，可能遭遇到的困難和危險，恐怕不是從非洲到印度的船旅所能比擬的吧！不過，當我想起「在這城迫害你們，你們就逃往另一城去」（瑪竇福音）和（若望）默示錄中的「上主，我們的天主！你是堪享光榮、尊威和權能的」這些話時，就覺得種種危險、困難毫不足道了。

澳門，如前述位在珠江的出口，城市是散佈在港灣入口的島嶼共同構成的。這個城市跟其他的東方城市一樣，並沒有城壁環繞，分不清哪裡是城市的界限，如灰褐色塵芥中的中國人房子到處可見，反正，跟我們國家的任何都市、城鎮都不一樣。人口據說有兩萬左右，其實是不正確的。唯一會讓我們興起懷鄉情懷的，是位在市中心的總督府和葡萄牙式的商館以及小石子路。砲台的砲口朝向港灣，幸好連一次都未使用過。

中國人大半對我們的宗教漠不關心，關於這點，日本的確像聖方濟・薩比耶爾所說的「是東方國家中最適合天主教的國家」；可是，諷刺的是日本政府鎖國政策的結果，卻讓遠東的生絲貿易完全由澳門的葡萄牙商人獨佔。因此，澳門港今年的輸出總額是四十萬 serafun，遠超過前年和去年的十萬 serafun。

今天，在這封信裡我要向您報告一個好消息，我們昨天終於碰到了一名日本人。聽說以前澳門曾經有相當多日本修道士和商人前來，自從鎖國政策之後，他們就不再來了，連少數殘留者也都回國去了。我們請教過威利也諾神父，他也說這城市已無日本人居住，但是在一個偶然的機會裡，我們認識了一個混在中國人當中的日本人。

昨天下雨，我們到中國人住的地區找尋偷渡到日本的船，總之，我們一定要找到一艘船，還要雇船長和水手。雨天的澳門使這中國人地區看來更加淒涼，海和街道都被淋成灰色，中國人都躲到狹窄的小屋子裡，滿是泥濘的路上不見半個人影。看到這樣的街道，不知怎的，我想起人生，感到悲哀。

我們找到經由介紹的中國人，說明來意之後，他馬上說有一名日本人想從澳門返國，隨即答應我們的要求叫他的小孩去請日本人來。

對我生平頭一遭遇到的日本人，要怎麼形容他才好呢？一名跌跌撞撞的醉漢走進屋裡，這個衣衫襤褸的男人叫吉次郎，年齡大約二十八、九歲。從他勉強回答我們的問題中，知道他是靠近長崎的肥前地方的漁夫，島原之亂之前在海上漂流時，被葡萄牙船所救。雖然他喝醉了酒，一雙眼睛卻很狡猾，我們交談時，他常把目光避開。

「你是信徒嗎？」

同事的卡爾倍這麼一問，他突然靜默不語。我們不明白爲什麼卡爾倍的問題會使他不高興？起初他似乎不太願意說，後來在我們的懇求下，他才慢慢說出九州地方天主教被迫害的情形。他在肥前的倉村看過二十四名教徒被藩主處以「水磔」的樣子，所謂「水磔」是在海中豎立木樁，把天主教徒綁在木樁上，漲潮時，海水淹到大腿處，犯人逐漸疲憊，大約一個禮拜左右就會悶死掉。像這麼殘酷的方法，說不定連羅馬時代的暴君尼洛還想不出來呢！

談話中，我們注意到一件奇怪的事。即，吉次郎對我們講著令人顫慄的情景時，他的臉部突然扭曲，閉口不談，然後揮揮手彷彿要從記憶中驅走惡魔。或許，在遭受到「水磔」刑罰的二十幾名信徒中，有他的親朋好友吧？我們可能觸到他的傷心處了。

「你一定是信徒。」卡爾倍緊迫釘人地問：「我說對了吧？」

「不！」吉次郎搖搖頭，「不！我不是。」

「聽說你想回日本，很幸運地，我們有足以購船、雇水手的錢，因此，如果你想跟我們一起到日本……」

聽到這裡，這個因酒醉而眼睛黃濁的日本人，突然露出狡黠的眼光，在屋角抱著膝蓋，爲自己辯解似地說是爲了探望故鄉的親人才想回國。

我們有我們的打量，馬上跟這個膽小的男子談條件。在這微髒的房子裡，有一隻蒼蠅嗡嗡地飛迴不去，他喝光的酒瓶橫七豎八地躺在地板上。反正我們登陸日本連方向都會摸不清，必須有人替我們連絡，找到能夠掩護我們、幫助我們的信徒。我們需要這個男子當我們最初的嚮導。

吉次郎抱著膝蓋面向牆壁，對這個交換條件考慮良久，最後他終於答應了。對他而言，這是危險性相當大的冒險，但他也知道一旦放棄這次機會，很可能一輩子都回不了日本。

靠著威利也諾神父的幫助，眼看著有一艘大帆船就要到手了，哪知道人的計劃是多麼脆弱、不可靠呀！今天接到船被白蟻蛀壞了的報告，而這裡幾乎買不到鐵或瀝青……。

這封信是每天斷斷續續寫的，因此，好像沒日期的日記，請您耐著性子閱讀。一個禮拜前，我已跟您報告過我們到手的帆船被白蟻蛀壞的情形相當嚴重，幸好託神的護佑，已找到克服困難的方法。我們打算暫時從內側釘上木板航行到台灣，如果這種應急措施行得通就直接到日本。此外，還要祈求主的庇護，不要讓我們在東海上碰到暴風。

今天我要向您報告一個壞消息。上次信中已向您報告過聖・馬太在長途旅行中體力消耗殆盡，罹患瘧疾，最近他又發高燒起惡寒，躺在傳教學院中的一室。我想您可能想像不出從前健壯的他現在瘦成什麼樣子，他的眼睛紅腫，敷在額頭上的濕巾，一下子就燙得像是剛從熱水裡撈起來。他現在這樣子要到日本是不可能的，威利也諾神父也說，如果不把他留在這裡療養，就不准其餘兩人出航。

「我們先到那裡，」卡爾倍安慰馬太：「做準備，等你康復後前來。」

誰也無法預測他能否安然無恙活到那時候，而我們是否也會像其他許多信徒那樣變成異教徒的俘虜呢？

馬太久病未加理容，從臉頰到下顎長滿鬍鬚，雙頰下陷，默默地注視著窗子。從窗戶看出去，夕陽如溫潤的紅玻璃珠，向港口和大海下沉。他那時候心裡到底想些什麼呢？認識他已久的您應該知道。我想起在泰約河口啓航那天接受達斯可主教和您的祝福；艱辛而漫長的旅途，不斷受到飢餓和疾病侵襲的海上歲月；我們爲何要忍受這些痛苦呢？為什麼要千里迢迢跑到這東方了無生趣的城市呢？我們司祭誠然是為了要服務人群而出生的可憐人，可是再沒有比不能服務的司祭更感到孤獨、悲哀的了！特別是馬太，到臥亞之後對聖方濟・薩比耶爾的尊敬更深，他每天到在印度逝世的聖人墓前祈禱，保佑他安然抵達日本。

我們每天都祈禱他的病早一天康復，可是病情並不樂觀；不過，神必能賜給我們智慧察覺不到的好命運吧！兩星期之後就要出發了，或許全能的主會把一切安排得妥當。

船隻的修理工作，進行得相當順利。白蟻蛀壞的地方，釘上新的木板，整艘船都不一樣了。威利也諾神父幫我們找到的二十五個中國水手答應送我們到日本的近海，這些中國水手瘦得就像已有幾個月沒吃飯的病人；但是，骨瘦如柴的手臂力量卻很驚人，再怎麼重的糧箱都搬得動，他們的手臂讓人聯想到鐵製攪火棍。現在是「萬事俱備，只欠東風」，只要有風就能出航了。

我上次提到的那個日本人吉次郎，也和中國水手們一起搬運行李，幫忙整理船帆。我們一直很注意地觀察著這個可能成為左右我等往後命運的日本人。現在，我們了解到他的個性相當狡猾，而這狡猾是從他軟弱的個性產生的。

前些日子，我們偶然看到這麼一幕：當中國人工頭看著時，吉次郎表現得非常認眞地工作，可是只要工頭一離開現場，馬上就渾水摸魚。起初沒吭聲的水手們，後來可能是忍耐不住了，就責問吉次郎來了。如果只是這樣還好，讓人吃驚的是，被三個水手推倒，被踢中腰部後馬上臉色蒼白，跪在沙灘上求饒。他的態度和天主教忍耐的美德相去太遠，根本就是懦弱的卑怯。他抬起埋在沙中的臉，用日本話不知嚷些什麼？鼻子和臉頰沾滿沙子，嘴裡流出骯髒的唾液。這時，我似乎明白了，爲什麼在我們第一次見面，談論到日本信徒的時候，他突然閉口不說話的原因。可能他自己在談論之前先害怕起來了。總之，這次單方面的毆打，由於我們的排解，很快就平息了；然而，吉次郎在那次之後常對我們露出卑屈的笑容。

「你眞的是日本人嗎？」

卡爾倍難過地問著，吉次郎感到吃驚似地強調他是日本人。卡爾倍太相信許多傳教士所說的日本人是「連死都不怕」的民族。日本人當中，有海水浸到足踝，遭受到五天的拷刑也不屈服的人；但也有像吉次郎這般懦弱的人。而我們不得不把到日本之後的命運託付給他。雖然他答應跟願意掩護我們的信徒連繫，但照現在這情形看來，他的約定究竟有幾分可信呢？

不過，您可不要看我這麼寫就以爲我們的鬥志已沮喪。不知怎的，我每次想到要把往後的命運託付給像吉次郎這樣的男子就覺得可笑。想起了連我們的主耶穌基督都曾把自身的命運託付給不能信任的人。總之，這時候除了相信吉次郎之外別無他法，就姑且相信他吧！

有一件傷腦筋的事是，他非常愛喝酒。一天的工作完畢後，他把工頭發給他的錢，全都拿去喝酒了。而他爛醉如泥的樣子，讓人覺得他是爲了想忘掉隱藏在內心深處的痛苦回憶才喝酒的。

澳門的夜晚，在看守砲台上士兵們淒涼而悠長的喇叭聲中降臨了。這裡的修道院規定跟我國一樣，用完晚餐後在聖堂做禱告，然後司祭和修士手裡拿著蠟燭，回到自己的房間。現在，中庭的石子路上有三十名男僕走過來。卡爾倍和聖・馬太房間的燈熄滅了。這裡眞像是世界的盡頭。

燭光下，我把手放在膝上，靜靜地坐著，靜靜地體會自己現在來到您所不知的，或許一輩子都不會來的極地的感覺。這種感覺是沉痛的，無法向您說明，恐怖的大海、走過的港口，一下子都浮現在眼前，胸口好像被縛般疼痛。我現在在這誰也不知的東方城市，恍如夢中，不！當我意識到這不是夢時，我想大叫這是奇蹟！連我自己都不敢確定我現在眞的是在澳門嗎？我不是在作夢吧？

有隻大蟑螂在牆壁上爬行。焦躁的聲音，劃破了夜的寂靜。

基督復活後出現在信徒們聚餐的地方，祂這麼說：「你們到普天下去，傳福音給萬民聽。信而受洗的人必然得救，不信的必被定罪。」我現在遵從祂的話，眼前浮現出祂的容貌。祂，究竟長著什麼樣的臉？聖經上根本都沒提。如您所知，初期的天主教徒從牧羊人當中「描繪」出的基督樣子：穿著短外套、小件衣服，一隻手抓著扛在肩上的羊腳，另一隻手拿著手杖；這是我們國內隨處可見的年輕人打扮，這是初期的教徒心目中的基督容貌。之後，揉合了東方的文化製造出有幾分東方味道的基督容貌——長鼻子、鬈髮和黑鬍子。後來，許多中世紀畫家筆下所描繪出來的基督容貌更具王者的威嚴；不過，今夜浮現我眼前的祂，是收藏在波爾果・珊薛波爾克洛的那一幅臉，當神學生時見過的那一幅畫，至今仍然記憶鮮明。基督單腳踏在墓上，右手拿著十字架，正面朝向這邊，祂的表情就像在奇貝麗阿提湖邊三次向信徒們說：「餧養我的小羊，餧養我的小羊，餧養我的小羊。」的時候一樣堅定有力。我從那張臉感受到愛，就像男性被情人的臉吸引住一般，我一直被基督的臉吸引著。

距離出發的日子只剩下五天，我們除了心之外沒有要帶到日本的行李，因此專注於心的調適。有關聖・馬太的事我不想再寫了，神最後並沒有賜給我可憐的同事恢復健康的喜悅；不過，神所做的一切都是好的，主可能已暗中爲他安排好了他要負的使命。

譯註

①從一六三七年到翌年，發生在肥前島原、肥後天草的農民起義事件。對幕府鎮壓天主教及領主苛政不滿，以益田四郎爲首率農民軍起義，據原城，後爲幕府大軍攻陷，皆被殺。之後，幕府加強禁教政策。

2 薛巴斯強・洛特里哥書信

沉默

遠藤周作

主的平安。基督的榮光。

在短短的信紙上，如何描述這兩個月來發生的種種事才好呢？何況，現在連這封信能否安全送到您的手上都不知道；不過，我仍然覺得非寫不可，也認爲有寫下來的義務。

我們的船從澳門出發後，八天內很幸運都是好天氣。晴空萬里無雲，帆漲得滿滿的，經常可見飛魚群閃著銀光在波浪間跳躍。我和卡爾倍每天早上在船上的彌撒中都感謝主賜給我們航海的安全。不久，第一個暴風雨來襲，那是五月六日晚上的事。強風先從東方颳過來，二十五名熟練的水手們把帆桁放下，在前桅掛上小帆；但是，到了半夜，船只有隨波浪擺佈了。後來，船的前方出現了裂縫，水開始從那裡流入船內。幾乎整個晚上，我們都忙著在裂縫裡塞布條，把流進來的海水舀出船外。

當天空泛白時分，暴風雨總算停止了。我、水手們以及卡爾倍都筋疲力竭，躺在船貨中間，仰望著含雨的黑雲向東方流動。那時，我想起八十年前經歷了比我們更大的困難後來到日本的聖方濟・薩比耶爾老師的事。他一定也在暴風雨過後的黎明看到乳白色的天空，不只是他，在後來的幾十年之間，有好幾十名傳教士和神學生們繞過非洲，經印度，越過東海準備到日本傳教。有德・薛路易凱拉主教、巴利納神父、歐爾坎奇神父、果美斯神父、波美里歐神父、羅貝斯神父、葛略可里歐神父……數都數不完，他們當中也有許多像吉爾・德・拉・馬太神父那樣，眼看著日本就在眼前，卻因船隻失事而葬身海底。到底是什麼信仰激發出如許熱忱，能夠忍受這麼大的痛苦呢？現在，我知道了。他們都凝視過這乳白色的雲和向東方流逝的黑雲，至於他們那時心裡想著什麼呢？我也了解了。

在船貨旁聽到吉次郎痛苦的聲音。這個膽小鬼在暴風雨來襲時，根本幫不了水手們的忙。他蜷縮在船貨之間，臉色蒼白、顫抖著身子，白色的吐瀉物吐得滿地都是，不停地用日本話不知嘀咕些什麼？

我們起初也和水手們一樣，用輕蔑的眼光看他，他用日本話的嘀咕，也沒有引起我們的注意；可是，我從他的話中突然聽到「加拉撒」（聖寵）「聖・瑪麗亞」（聖母）的發音。他像豬一樣把臉埋在自己吐出的髒物中，但我的確聽到他連續說了兩次「聖・瑪麗亞」。

卡爾倍和我相視一眼。在漫長的旅途中，他不但幫不了大家的忙，反而增加麻煩，會是跟我們立場相同的人嗎？不，不可能的。信仰絕不會讓人變得這麼膽小、懦弱。

吉次郎抬起被吐瀉物弄髒了的臉，痛苦地看我們。然後，他很狡猾地裝作沒聽到我們問他的問題，臉頰上浮現出卑屈的淺笑。對人做出諂媚的微笑是這個男人的壞習慣，我還好，卡爾倍常被這種笑容弄得很不舒服，要是剛直的聖・馬太，一定會更生氣。

「哦！我聽到了。」卡爾倍提高嗓門。「老實說，你是不是信徒？」

吉次郎猛搖頭。中國水手們從船貨空隙間用好奇和輕蔑的眼光注視著這邊，如果吉次郎眞的是信徒，那我就不明白他爲什麼連身爲司祭的我們都要隱瞞呢？我的猜測是，這個膽小鬼害怕回到日本之後，我們會向官吏洩露他是天主教徒的秘密；可是，如果他確實不是信徒，又爲什麼在恐懼時會說出「加拉撒」（聖寵）、「聖•瑪麗亞」（聖母）等的字眼呢？總之，這個男人引起我莫大的興趣，我想以後一定可以找出他的秘密吧！

在那天之前，根本看不到陸地和島嶼的影子。灰色的天空，偶爾會有讓眼簾感到沉重的微弱陽光照射到船上來。我們都感染到悲傷的氣氛，注視著波浪起伏露出如白牙的冰冷海面；不過，神並沒有捨棄我們。

像死人般躺在船尾的一個水手突然叫了起來，從他所指的水平線看過去，看到一隻小鳥飛過來。這隻橫過海上的小鳥，如黑點般停在被昨夜的暴風雨吹破的帆桁。海面上漂流著無數的木片，我們知道距離陸地已不遠了。然而，喜悅馬上轉變成不安，因爲這陸地如果是日本，我們就不允許被任何小船發現，小船的漁夫們恐怕會趕緊向官吏報告有外國人搭乘的帆船漂流過來吧！

在黑暗來臨之前，卡爾倍和我有如兩條狗般縮著身子躲在船貨的空隙。水手們只掛起了前桅的小帆，儘量避開可能是陸地的地方，遠遠地繞過去。

午夜時分，船又儘量不發出聲音開始移動，幸好沒有月亮，天空一片漆黑沒被人發現。大約半reguwa高的陸地逐漸接近，我們發現進入兩側是陡急的高山聳立的港灣，這時，我們看到了海濱前方密集的房屋。

吉次郎首先下到淺灘，接著是我，最後是卡爾倍把身體浸到尙冰冷的海水裡。這裡是日本？或是別的國家的島嶼？說眞的，我們三個人都不知道。

我們一直躲在沙灘的低窪處，直到吉次郎探查淸楚爲止。我們聽到有人踩著沙子發出沙沙聲，逐漸接近低窪處，接著看到一個頭上包著布、揹著籃子的老太婆從旁經過。她並沒發現到緊揑著濕衣服、屛住氣息的我們，等到她的腳步聲消失在遠方之後，四周又恢復了寂靜。

「他不會回來了，他不會回來了。」卡爾倍哭喪著臉說：「那個膽小鬼不知跑到哪裡去了。」

可是，我卻想得更壞，他不只是逃走，還像猶大那樣告密去了。不久，官吏們會在他帶路之下出現吧！

「有一隊士兵拿著火把和武器到這裡來，」卡爾倍唸著聖經上面的話：

「於是，基督知道將要降臨自己身上的事……」

是的，我們這時候應該想想在那凱西馬尼之夜，把自己的一切命運交付給人類的主；但是，對我而言這是內心動搖不定的漫長時間，老實說我很害怕，汗從額頭流向眼睛。我聽到一隊士兵的腳步聲，看到火把的火在黑暗中燃燒著，讓人感到怵惕，他們逐漸接近了。

有人把火把往這邊照射過來，火光中有一張小老頭醜陋的紫紅臉孔，旁邊站著五、六名年輕男子，以困惑的目光俯視我們。

「司祭！司祭！」老人劃著十字小聲叫喊，他的聲音有著能撫慰我們的親切感，作夢也沒想到在這裡還能聽到「司祭！神父！」這令人懷念的葡萄牙語。當然，老人除此之外根本不懂我們的語言；不過，他在我們面前劃十字——我們共通的記號。他們是日本信徒。我感到一陣眩暈，勉強從沙灘上站起來，這是我們第一次踏到的日本地面。那時，很明顯有一種眞實感產生。

吉次郎躲在大家的背面，露出卑屈的笑容，一副像老鼠的樣子，擺出只要苗頭不對馬上抽腿就跑的姿態。我感到羞恥地咬緊嘴唇，主經常把自己的命運交給任何人，那是因爲祂愛人們的緣故；可是，我卻連吉次郎這個人都懷疑了。

「趕快走吧！」老人小聲地催促我們：「要是被異教徒發現就慘了。」

這些信徒們都聽得懂「異教徒」的葡萄牙語，可見在聖方濟神父之後，許多我們的先輩一定教過他們這句話。在不毛之地把鐵鍬插入，然後施肥、耕作到現在這種程度是多麼困難啊！不過，撒下的種子已經吐出可喜的嫩芽了，今後培育它、使它長大茁壯將是我和卡爾倍的重大使命。

這一夜，我們躲在他們天花板很低的家中，陣陣臭氣從隔壁的牛棚飄來，但是他們說在這裡仍然非常危險。異教徒發現我們可以賞三百枚銀圓，因此無論在任何場合，對任何人都不能掉以輕心。

吉次郎為什麼這麼快就能夠連絡到信徒呢？

第二天早上天未亮時，昨天的年輕男子帶著換上工作服的我和卡爾倍登上部落背後的山上。信徒們打算把我們藏到放煤炭的小屋子裡，那兒較安全。濃霧籠罩著森林和小路，霧很快就變成小雨。

在放煤炭的小屋子裡，我們首次問他們這裡是什麼地方？他們回答是距離長崎十六reguwa名叫友義①的漁村，這是不到兩百戶人家的村子，但幾乎所有村民都受過洗。

「現在呢？」

「神父！」陪我們來的、名叫茂吉的年輕男子，回過頭來看看同伴繼續說：「現在我們毫無辦法，如果被發現我們是天主教徒，一定會被殺。」

當我們把掛在脖子上的小十字架送給他們時，他們那種高興的樣子眞是筆墨無法形容。兩人都恭恭敬敬地伏在地面，額頭壓在十字架上反覆禮拜了好久。聽說像這種十字架，他們已經好久都得不到了。

「還有神父在嗎？」

茂吉緊握著拳頭，搖搖頭。

「修道士呢？」

司祭當然是不用說了，就連修道士他們也一個都沒遇到。一直到六年前，有個叫松田ミゲル（migeru）的日本司祭和耶穌會的馬提歐・德・可洛斯司祭還偷偷和這一帶的村子、部落保持連繫；但是，兩人都在一六三三年十月疲憊而死。

「那這六年之間有關洗禮和其他的奧蹟，你們是怎麼處理的？」卡爾倍這麼問。再也沒有比茂吉他們的回答更能感動我們的心，我希望透過您，無論如何把這事實轉達給我們的上司。不！不只是上司，希望讓所有羅馬教會的人都知道。我想起馬爾谷福音中的話：「（種子）有的落在好地裡，就長大成樹，結了果實；有的結三十倍，有的六十倍，有的一百倍。」他們在沒有司祭也沒有修道士，並受到官吏們嚴厲迫害的痛苦中，成立了秘密組織。

例如友義村，他們的組織是：從信徒當中選出一個長老來代替司祭的工作。我把茂吉告訴我的照實寫下來。

昨天在沙灘上遇到的那位老人，大家叫他「爺爺」，在一行人當中地位最高，保持身體的潔淨，部落裡有小孩出生時就由他主持洗禮儀式。「爺爺」底下有「爸爸」，負責偷偷教信徒們祈禱和講解教義，此外，還有稱爲「弟子」的部落民衆，努力地繼續點燃幾乎要熄滅的信仰火把。

「這樣的組織，不只是友義村有吧？」我很興奮地問：「恐怕，其他的村子也有吧？」

但是茂吉搖搖頭。後來我才了解：日本這個國家非常注重血緣關係，每一個部落彼此就像親戚一樣非常團結，因此，有時和其他部落之間反而會產生如異民族般的敵意。

「是，神父！我們只相信自己的村民，這種事如果被其他部落的人知道，一定會告訴地方官。捕吏每天巡視各村莊一次。」不過，我仍然拜託茂吉幫我找找看其他的部落或村子裡有無信徒，希望能早一天告訴他們在這荒廢、被拋棄的土地上，司祭掛著十字架回來了。

翌日起，我們的生活是這樣子的：我們好像回到卡達昆貝（Catacombe）時代，在半夜做彌撒，清晨悄悄地等候登山來訪的信徒。每天，他們派兩個人送少許的糧食給我們，聽他們告解，爲他們祈禱和講道理。白天緊閉小屋，小心翼翼地不敢弄出任何聲響，以免被從旁經過的人發現，當然，生火、炊煙是絕對避免的。茂吉他們替我們在小屋的地板下挖了一個洞，以備不時之需。

我們認爲在友義村西邊的村子和小島上可能還有信徒，但是礙於形勢我們無法外出；不過，將來我們一定要想個辦法，把這些被遺棄的、孤立的信徒一個一個找出來。

譯註

①原文假名友義（TOMOGI）。

3 薛巴斯強・洛特里哥書信

沉默

遠藤周作

聽說這個國家到了六月就進入雨季，雨，在一個多月之間幾乎不稍歇息地下著。進入雨季後，官方的搜索可能較鬆懈吧？我打算利用這段期間到附近走走，尋找隱匿的天主教徒，希望能早一天告訴他們已經不孤獨了。

我從沒想過司祭的工作這麼有意義。或許目前日本信徒的心情就像失去航海圖，遇暴風雨的船吧！如果他們連鼓勵、增加勇氣的司祭或修道士一個也沒有，恐怕會逐漸失去信心，在黑暗中徘徊吧！

昨天又下雨，當然，這陣雨並非即將來臨的雨季前兆；不過，一整天在圍繞著這小屋的雜樹林中發出陰鬱的聲音，有時樹木震顫，搖落雨滴。每次卡爾倍和我都緊貼在木板門的縫隙，向外窺視究竟是怎麼回事，等到知道那是風的傑作時，總會有種類似憤怒的心情產生。這樣的生活還要繼續多久呢？是的，我們兩人都變得急躁、神經質，對方只要出點小差錯，就以嚴厲的責備眼光相向。每天神經都像張滿弓的弦一樣，繃得緊緊的。

在此將有關友義村信徒的事更詳細地向您報告：他們是貧窮百姓，在不滿三公頃的田地上辛苦栽種麥和芋頭，沒有人擁有水田。看到他們連面向海的山腰都開墾成耕地時，對他們生活的困苦不禁感到鼻酸。儘管如此，長崎的奉行還對他們課賦重稅。是的，長久以來，這裡的老百姓們，像牛馬一樣工作，像牛馬一般死掉。我們的宗教之所以能夠在這地方的農民當中，如水一般浸透進去，不是別的，是因為我們讓他們體會到有生以來的溫暖；是因爲我們把他們當人看待；是因爲司祭們的仁慈打動了他們。

我尚未見過友義村全部的信徒，爲了避免被官吏們發現，半夜裡每次只派兩個信徒上山來到這小屋，聽到這些知識低落的百姓口中說出「德烏斯」、「安修」、「培阿特」等我們的語言時，就不由得發出微笑，告解叫「拱比珊」、天國叫「哈拉伊索」、地獄叫「因赫魯諾」。只是他們的名字不易記得，而且每一張臉孔看來都一樣，我們把一藏誤以爲是清助，把叫阿待的女人當成是咲。

茂吉的事我已經寫過，現在我要寫其他兩個信徒的事。一藏是五十歲的男子，晚上，他帶著憤怒的臉色來到小屋，望彌撒時以及結束後，他幾乎都不開口說話；不過，他並不是眞的在生氣，而是他的臉給人這種感覺。他有很強的好奇心，滿佈細小皺紋的眼睛常睜得大大的，注意我和卡爾倍的一舉一動。

聽說阿待是一藏的姊姊，不過老早就喪夫，是個寡婦。她曾用籃子揹食物給我們吃，有兩次是和姪女線偷偷來的。她也和一藏一樣好奇心很強，和姪女一起來看我和卡爾倍吃東西。坦白說，食物之簡陋是您想像不到的，只有幾條烤蕃薯和水而已，他們看到我和卡爾倍喝完水，臉上露出滿足的笑容。

「我們吃飯的樣子，眞的那麼稀奇嗎？」有一天，卡爾倍不悅地說。

她們不懂這句話的意思，臉笑得像皺了的紙一樣。

我再稍微詳細地向您報告信徒們的秘密組織吧！這組織中有「爺爺」和「爸爸」的

職位，「爺爺」負責受洗工作，「爸爸」負責教信徒們祈禱和講道理，這些我已經向您報告過了。這個「爸爸」還負責一項工作，即查閱日曆把教會的節日告訴大家。聽他們說聖誕節、耶穌受難日、復活節等都是依這個「爸爸」的指示舉行的。當然，在這樣的節日裡，由於沒有司祭，他們不可能望彌撒，因此，只在某人家中偷偷拿一副舊聖畫給大家看，之後做做祈禱而已。（他們祈禱時使用拉丁語「巴提爾・諾斯提爾」、「阿貝・瑪利亞」。）唱禱詞時的中間短暫空隙，必須故意若無其事地閒談，這是因爲不知官差何時會闖進來，還要應付萬一闖進來時，能夠證明只是一般性的聚會而做的準備。

自從島原之亂後，地方政府開始徹底搜索隱匿的天主教徒，捕吏們每天到各部落巡察一次，有時會突然闖入民宅。

例如，去年還公布所有居民與鄰居之間不得築牆或籬笆，這是爲了方便看清左鄰右舍的動靜，只要看到鄰居舉止怪異就得馬上反應。密告司祭住處者，賞銀圓三百枚；發現修士者賞二百枚；發現信徒者賞一百枚。這樣的金額對貧窮的農民而言，是多麼大的誘惑啊！因此，信徒們根本不敢相信其他村子的村民。上次我向您已提過無論是茂吉、一藏，或是那老人都面無表情，活像戴著面具的臉，這道理我現在完全明白了。因爲他們連喜悅、悲傷都無法形諸於色。長久的秘密生活，使得信徒們的臉都變得像假面，這實在是令人辛酸、悲傷的。我不懂神爲什麼把這種苦難加在信徒們身上？下次信中我準備向您報告我們正尋找的費雷拉教父的命運和井上（您還記得嗎？就是澳門的威利也諾神父所稱，全日本最可怕的男子）的事，請轉告副院長倫吉斯・德・桑克提斯，請接受我的祈禱和敬愛。

今天，又下雨了。我和卡爾倍躺在充當床鋪的稻草堆中，在黑暗中搔身體。這陣子有小蟲在頸子和背部爬行都睡不好，日本的蝨子白天躲起來，一到晚上就肆無忌憚地在我們身上橫行肆虐，眞是無禮的傢伙。

在這樣的雨夜，沒有人會上山來，因此不只是身體，連每天繃得緊緊的神經也鬆弛了。聽著雜樹林中發出令人震顫的聲音，或是想想費雷拉神父的事。

友義村的百姓們也打聽不到任何有關他的消息，不過到一六三三年爲止，神父躲在距離這裡有十六 reguwa 的長崎是事實，而他跟在澳門的威利也諾神父失去連絡正是這一年。他還活著嗎？或者如謠言所說的，像狗一般在異教徒面前爬行，放棄發誓終身奉行的信仰？如果他現在還活著，會在哪裡呢？又會以什麼樣的心情傾聽這讓人心情沉重的雨聲呢？

「如果——」我毅然對正和蝨子搏鬥的卡爾倍說出內心的計劃，「到長崎走一趟，或許能找到知道費雷拉老師下落的信徒。」

黑暗中，卡爾倍停止扭動著的身體，輕輕咳了兩、三聲，然後說：「要是被抓到就完了。這不只是我們兩個人的問題，連掩護我們的村民都會遭殃。總之，我們不能忘記我們是這個國家中，傳教的最後踏腳石。」

我嘆了一口氣。他從稻草堆中坐起身子，一直注視著我。我想起茂吉、一藏以及村中其他年輕人的臉。有人願意替我們到長崎走一趟嗎？不，這行不通的。他們還有血肉相連的家人，跟我們司祭沒有妻兒是不一樣的。

「拜託吉次郎看看吧？」

卡爾倍小聲地笑了。我腦海中浮現出：在船中，臉埋在嘔吐物，向二十五名水手們打躬作揖乞求諒解的那個膽小鬼。

「糊塗。」我的同事說：「他怎麼靠得住呢？」

接著，兩人之間是長長的沉默。雨，在小屋的屋頂，像規律的沙漏般下著。在這裡，夜和孤獨已經密切地結合在一起。

「有一天……我們也會像費雷拉老師一樣被抓嗎？」

卡爾倍笑了。

「我對爬在背上的蝨子比那些事更感興趣啊！」

他來到日本以後，經常都很開朗，說不定是故意裝出開朗的模樣，藉此增添我和他自己的勇氣。而我自己呢？老實說並沒想過會被抓。人，眞是奇妙，內心深處似乎都認爲別人或許躲不掉，只有自己無論多麼危險，一定能化險爲夷。就像雨天時，心中描繪著遠處太陽照射的山丘，從未想過自己被日本人逮捕的那一瞬間會是什麼樣子？我們躲在小屋子裡，總覺得永遠都安全。我不知爲什麼會這樣，眞的是很奇怪的事。

連續下了三天的雨，現在總算停止了，有一道陽光從小屋子的木板門縫中照射進來。

「走，到外頭透透氣吧！」我這麼一說，卡爾倍高興地微笑，點點頭。剛把潮濕的門推開少許，就聽到森林中鳥類如泉湧般的囀啼，我從未像現在體驗到活著是如此幸福呀！

我和卡爾倍在小屋旁邊坐下來，脫掉身上的衣服。毛線的縫隙躲著如白色塵埃的蝨子，用小石子一隻隻地壓死，有一種無可言喻的快感。難道官吏們每次殺害信徒時，也會有這種快感？

林中還有少許霧流動著，從霧的空隙看到了晴空和遠處的海洋，像是友義村的聚落如牡蠣吸附在海邊。

我們停止殘殺蝨子，貪婪地注視著人的世界。

「沒什麼嘛！」

卡爾倍裸露身體曬太陽，金色的胸毛發出亮光，那樣子看來很舒服，還露出白色的牙齒笑了。

「看樣子，我們還是過分小心了，以後偶爾要享受一下日光浴的樂趣。」

連續幾天都是晴朗的好日子，我們的膽子逐漸大起來，走到飄散著嫩葉和濕泥味的樹林斜坡，卡爾倍稱這間小炭屋爲修道院。散步一陣子之後，他說出以下的話引起我發笑。

「我們回修道院吧！回去吃熱烘烘的麵包和油脂濃稠的湯吧！不過，這可不能告訴日本人喲！」

我們想起在里斯本和您一起度過的聖撒貝里歐修道院的生活。當然，這裡連一瓶葡萄酒、一塊牛肉都沒有，我們吃的是友義村百姓帶來的烤蕃薯和蔬菜而已。不過我們打從心底產生信心，相信一切都安全，有神保佑著。

有一天，我們像往常一樣，坐在雜樹林和小屋之間的石頭上聊天。夕陽篩過林中，在暮色蒼茫的天空中，有一隻大鳥劃出黑色弧線向對面山丘飛過去。

「有人盯著。」突然，向下俯視的卡爾倍叫了出來，他的聲音低而尖銳。

「不要動，維持原來的姿勢。」

在鳥剛剛飛過去，相隔一樹林、夕陽照射著的山丘上，有兩個男子站在那裡朝我們這邊看，顯然，他們不是我們認識的友義村村民。我們祈禱夕陽不要把我們的臉照得太清楚，把身體維持原來的姿勢僵硬如石。

「喂……你們是誰？」

對面的兩人從山丘頂上高聲喊道。

「喂……你們是誰？」

我們猶豫著該怎麼回答，但又怕回答之後引起對方的猜疑，於是緊閉著嘴不答。

「他們下了山丘，正往這邊來……」卡爾倍坐在石頭上，低聲說：「不，不是往這邊來，他們回去了。」

他們走下山谷，身影漸遠漸小；但是，我們不知站在夕陽照射的山丘上的兩名男子，到底有沒有看清楚我們？

那天晚上，一藏帶著隸屬於「爸爸」的男子「孫一」上山來。我們說出今天黃昏發生的事，一藏細小的眼睛注視著小屋的一點，過了一會兒，他默默地站起來向孫一說了些話，然後兩人開始把地板撬開。飛蛾在魚油燈旁飛舞著。他拿起掛在木板門上的鋤頭開始挖地，他們揮舞著鋤頭的影子映在牆壁上，挖到足以容納我們兩人時，他們在底下鋪上稻草，上邊用木板蓋起來。他們說：這是供我們今後萬一有情況發生時的藏身之用。

從那天之後，我們對一切都小心翼翼，儘量不到小屋外面，晚上也不點燈。

五天後又發生這樣的事。這天，我們偷偷替隸屬於「爸爸」的兩名男人和阿待帶來的嬰兒舉行洗禮，一直進行到很晚，這是我們來到日本後，第一次做的洗禮。在這沒有蠟燭也沒有音樂的小屋中，唯一洗禮儀式的道具是村民的小破碗，那是用來裝聖水的。

可是，在簡陋的小屋中，嬰兒哭泣著，阿待哄著小孩，一名男子到小屋外把風，聽到卡爾倍以莊嚴的聲音唱洗禮的祈禱詞時帶給我的喜悅，遠非任何大聖堂的祭典所能比擬。這可能是只有到異國傳教的司祭，才能體會到的幸福吧！用洗禮的水沾濕嬰兒的額頭，嬰兒皺起臉使勁地哭，小頭、細眼，和茂吉、一藏一樣將來準是一副標準的農夫臉。這個小孩有一天也會和他的父親、祖父一樣，在這面對著黑暗的海、貧瘠而狹小的土地上，像牛馬般勞動，像牛馬般死去。然而，基督不是爲美麗的、良善的東西而死去的。我那時候悟出：爲美麗的、良善的東西而死是很容易的；爲悲慘的、腐敗的東西而死才是困難的。

他們回去之後，我們疲倦地鑽進稻草堆中，小屋裡還殘留著那些男人帶來的魚油臭味，蝨子又開始在背部和腿上慢慢爬行。不知睡了多久？卡爾倍慣有的樂天大鼾聲把我給吵醒了，好像有人搖晃著小屋的門。起初我以爲是從下面山谷吹上來的風，穿過雜樹林敲擊著門呢！我爬出稻草堆，在黑暗中把手伸到地板，這下面有一藏爲我們挖掘的秘密洞穴。

搖動門的聲音停止了，傳出男人低沉而悲傷的聲音。

「神父！神父！」

這不是友義村村民們的暗號。要是友義村的信徒，他們會按我們約定，輕輕敲三下門。終於醒過來的卡爾倍，卻連身子動都沒動一下，豎耳傾聽著。

「神父！」悲傷的聲音又響起：「我們不是可疑的人。」

在黑暗中屏住呼吸靜默著，因爲再怎麼差勁的捕吏也能設下這麼簡單的陷阱。

「你不相信我們嗎？我們是深澤村的村民……我們已好久沒看過神父了，我們要求告解。」

在我們的靜默中，或許他們死心了，搖晃門戶的聲音停止了，悲傷似的腳步聲向遠處消失。我把手放在門上，想到外面看看，有一個聲音在心中強烈地指責著：沒錯！就算他們是捕吏設計的陷阱也無所謂，如果他們眞是信徒，您怎麼辦呢？我是爲服務大衆而生的司祭，如果因爲肉體的恐懼而疏於服務是可恥的。

「算了。」卡爾倍嚴厲地對我說：「別傻了。」

「傻也沒關係，我不過是爲了義務。」

我打開門。那天晚上，月光多麼皎潔，大地和森林都沐浴在銀色的光輝中。有兩名衣衫襤褸、像乞丐似的男人，像狗一樣蹲著，轉過頭來。

「神父！您不相信我們嗎？」

我發現其中一位男的腳上流了好多血，可能是在登山途中被殘株割傷的，他們已疲倦得快要倒下去了。

這也難怪，從距離二十 reguwa 海中名叫五島的島嶼，花了兩天時間才走到這裡。

「我們前一陣子就到了這座山。五天前還躲在那山丘，觀察這邊。」

其中一人指著小屋對面的山丘。那天黃昏，在山丘上觀察我們的就是這兩個傢伙。我帶他們進入小屋，拿出一松帶來給我們吃的番薯乾時，他們馬上伸手搶過去兩手捧著，像野獸般狼吞虎嚥起來，看得出這兩天他們可能沒有東西下肚。

總算可以開始「問話」了。究竟是誰告訴他們我們在這裡呢？這是我們首先想知道的事。

「是當地的天主教徒吉次郎說的。」

「吉次郎——」

「是的，神父。」

在魚油燈影下，他們啃著番薯乾，像野獸般蹲著。其中一人的牙齒幾乎都掉光了，他露出兩顆牙齒，笑得像小孩，另一人在外國司祭的我們面前，緊張得全身繃得緊緊的。

「不過，吉次郎不應該是信徒……」

「不！神父，吉次郎是天主教徒。」

這回答聽來有點意外。事實上，我們也曾猜他或許是天主教徒。

事情的眞相逐漸明朗，吉次郎果然是棄教的天主教徒。八年前，有懷恨他們一家的人密告他們兄妹而受到調查。吉次郎的哥哥和妹妹們拒絕用腳踏聖像，只有吉次郎在官吏稍微威脅一下時，就嚷著「我要棄教！」。兄妹被捕入獄後，只有他被釋放，但並未回到村子裡。

火刑當天，有人看到這個膽小鬼躲在圍繞著刑場的群眾裡頭，他的臉上滿是泥土，像野狗一樣，無臉見殉教的兄妹，很快就溜掉了。

我們還從他們那裡打聽到驚人的消息。他們的部落大宿村所有村民，都背著官吏的監視還信奉著天主教，而且不只是大宿村，連附近的宮原、筒崎、江上等部落或村子裡，還藏著許多表面上假裝是佛教徒，其實是天主教徒的人。他們已經等待了好久、好久，希望有一天從遙遠的海上，會有司祭來祝福他們、拯救他們。

「神父！我們已很久沒有望彌撒和告解了，大家都只做禱告而已。」

腳上滿是血的男人說。

「神父！早一點來我們村子呀！也教教我們的小孩做禱告，我們等待神父到來的日子已經好久了。」

黃牙缺落的男人，張開空洞的嘴巴點點頭。魚油燃燒著，發出如豆子滾動的聲音。卡爾倍和我怎能對他們的哀求搖頭說不呢？我們以前都太膽怯了，我們和腳受傷、露宿山野前來尋找的日本百姓比較起來，真是太膽怯了。

天空泛白，清晨乳白色的冰冷空氣溜進小屋裡。無論我們怎麼勸，他們執意不肯鑽入稻草堆中，只抱膝而睡，沒多久，晨曦從木板的縫隙射進來。

第三天，我們和友義村的信徒們商量到五島的事宜，最後決定卡爾倍在這裡留守，我到五島去和信徒們一起生活五天。他們對這件事並未表現出高興的神情，甚至有人說會不會是個危險的陷阱？

在約定的那一天晚上，他們悄悄地到友義村的海岸來迎接。而這邊也有茂吉和另一名男人，在海邊送我上小舟，那時我已換上日本百姓的衣服。沒有月光的海上黑漆漆的，只有規律的划槳聲響著，操槳的男人一直靜默著。出海後波浪翻騰。

突然，我感到害怕。有一個疑惑掠過腦際，說不定這名男人是友義村民所擔心的、準備出賣我的官府的爪牙，爲什麼腳受傷的男人和缺牙的男人沒有跟著一起來呢？日本人毫無表情佛面般的臉，讓人感到不舒服。我蹲在船頭一直發抖，並非寒冷，而是恐怖；不過，我告訴自己這一趟非去不可。

晚上的大海一片漆黑，天空不見半點星星。暗夜中，摸索了大約兩小時之久，我終於感覺到黑黝黝的島影，從小舟旁緩緩向後移動，男人告訴我這裡是五島附近的樺島。

小舟靠上沙灘時，由於暈船、疲倦和緊張，我感到一陣暈眩。從等候著我們的三個漁夫臉上，我找到好久不見的吉次郎卑屈、膽怯的笑容。部落裡燈已熄掉，在部落某處突然傳出狗叫聲。

五島的百姓和漁夫們期待司祭來臨的情形，正如缺牙的男人所說的。我不知道怎麼辦才好？忙得連睡眠的時間都沒有，他們似乎無視於官府的禁教令，不斷地到我藏身的家中來。我替小孩們主持洗禮，聽大人們告解，儘管整天都沒休息，來此的信徒仍然不減。他們就像長久在沙漠中旅行的商隊，好不容易才發現到綠洲般，貪婪地「吸飲」著我。我把破舊的農家充當聖堂，他們把瀰漫體內、滿是臭味的嘴巴湊過來懺悔，甚至連病人都掙扎著到這裡來。

「神父……您不聽我說嗎？」

「神父……您不聽我說嗎？神父……」

我感到滑稽的是，吉次郎跟以前判若兩人，受到部落民衆英雄式的歡迎，很得意地穿梭在他們之中。不管怎麼說，要是沒有他，我這個司祭也到不了這裡，所以也難怪他神氣。對於他以前所做的事——一度棄教的事，似乎都因此而一筆勾消了。這個醉鬼很可能向信徒們吹噓在澳門的事，把帶兩名司祭經過漫長的海上旅途才來到日本，也說成是自己的大功勞。

不過，我無意斥責他。我對吉次郎的吹噓和邀功，雖然感到困惑，不過身受他的恩惠倒也是事實。我勸他懺悔，他也老實承認自己以往的罪過。

我命令他要常想著主的話：「凡在人面前讚美我的，我也將在天父面前讚美他；在人前否定我的，我也將在天父面前否定他。」

那時，吉次郎蹲下來用手打自己的頭，宛如挨了揍的狗，這個天生的膽小鬼，不管怎樣都不會有勇氣的。我嚴厲地對他說：你的天性善良，可是意志太薄弱了，也太膽小了，對小小的暴力就害怕得發抖，然而，能醫治這些缺點的，不是你喜歡的酒，而是信仰的力量。

我長久以來的猜測並沒錯，日本的百姓們渴慕著某些東西。他們像牛馬一樣勞動，像牛馬一般無聲無息死去，從我們的宗教找到了唯一能解除腳鐐的途徑。和尚們與把他們像牛馬一樣看待的人同流合污，長久以來，他們甚至認爲這輩子已經沒有希望了。

到今天爲止，我已經替三十個大人和小孩施洗，不只是這裡，還有信徒從宮原、葛島、原塚等地偷偷繞到後山過來的。我已聽過五十個以上的告解。安息日彌撒結束後，我第一次用日語在那些信徒面前祈禱、說話，百姓們用好奇的目光注視著我。我和他們談話時，腦海裡浮現出祂在山上聖訓的容貌，以及或坐、或抱膝聽得入迷的信徒的姿態。爲什麼我會想起祂的容貌呢？可能是因爲聖經中並未說明祂的容貌，也正因爲沒有說明，可以讓我自由想像。我從小聽過無數有關祂的容貌的事，讓祂像情人般深藏在心中而美化。在我當神學生或在修道院時，輾轉反側的夜晚，我常想起祂漂亮的面孔。總之，我很明白這樣的聚會是很危險的，官吏們遲早會嗅出我們的行動。

在這裡，也沒有有關費雷拉教父的消息。我見過兩個曾經見過他的年老信徒，結果只打聽到費雷拉教父在長崎的新町，替被棄路旁的棄嬰和病人蓋住的地方。當然這是禁教令尚未雷厲風行之前的事，不過，我光是聽到這些話，心中就浮現出他的容貌，下顎蓄滿褐色鬍鬚、稍微凹下的眼睛，跟我們當神學生時一樣，他還把手放在可憐的日本信徒肩上呢！

「那個神父——」我故意這麼問他們兩人：「很可怕嗎？」

老人抬起頭來看著我，猛搖頭。他震顫的嘴唇似乎在說：從未見過像他這麼慈祥的人。

我回到友義村之前，把那組織告訴了這部落的人。是的，我說的就是友義村信徒們在沒有司祭期間偷偷組成的組織；選出爺爺、爸爸。爲了讓信仰在年輕人、小孩或嬰兒身上延續下去，在目前的情況下只有靠這種方法了。這部落的人對這種方式很有興趣，可是要選誰當爺爺、爸爸呢？就跟里斯本的選民一樣，他們開始吵起來了。甚至，吉次郎堅持自己應該當幹部。

還有一件值得注意的事，這裡的百姓也和友義村的信徒一樣，經常向我要小十字架、紀念章或聖畫之類的東西。當我告訴他們那些東西都留在船上時，他們露出極爲悲傷的表情，我因此把自己的念珠拆開，一粒粒分給他們。日本信徒崇敬這些東西並非壞事；可是，我有種奇妙的不安，懷疑他們是否弄錯了什麼？

六天後的晚上，我又悄悄地搭乘小舟，在黑夜的海上啓程返回。划槳的咿啞聲和海浪輕拍小舟的聲音，是多麼單調呀！吉次郎站在船頭小聲地哼著歌。我想起五天前，同一艘小舟渡過這裡時，自己曾突然產生一種說不出的不安，我微笑了。一切都很順利，我覺得。

到了日本之後，一切比想像中順利，我們並沒有去做危險的冒險，還不斷地找到新的信徒。何況，到目前爲止並未特別意識到警吏的存在，甚至覺得澳門的威利也諾神父太懼怕日本人的鎭壓了。突然，有一種分不清是高興或是幸福的心情湧上心頭，我想那是體會到自己是有用的人的喜悅心情吧！在您完全陌生的地球盡頭的國度裡，對這裡的人而言，我是有用的。

或許是這緣故，回程時覺得很快。當小舟發出聲響，感到舟底似乎撞到東西時，才遽然發現已經回到友義村了。

我躲在沙灘上，單獨等待著茂吉他們前來接我。我甚至覺得這麼小心翼翼是否多此一舉，還想起卡爾倍和自己來到這國家那天晚上的心情。

「神父——」

我高興之餘，一躍而起，伸出滿是沙子的手想跟他握手。

「趕快逃走，請趕快逃走。」

茂吉急促地說，同時把我的身體推開。

「官吏們到村子……」

「官吏……」

「是呀！神父，官吏們已經發現了。」

「連我們的事也被發現了？」

茂吉急忙搖搖頭，我們四處躲藏的事還沒被發現。

我像是被茂吉和吉次郎牽著手似地，朝部落的相反方向跑。跑到田裡，盡可能躲在麥穗之間，朝我們小屋所在的山的方向前進。這時，開始下起毛毛雨來了，日本的梅雨季終於來臨了。

4 薛巴斯強·洛特里哥書信

沉默

遠藤周作

看來還有一些時間可以寫這封信給您，我在上封信裡已經向您報告過從五島傳教回來時，碰上官吏們在村子裡搜索的事。每次想到卡爾倍和我都安然無恙，就不由得從內心裡感謝主。

幸好「爸爸」等幹部在日本官吏到達之前，已迅速叫人把聖畫、十字架等危險的東西都藏好。像這種時候，組織就發揮很大的作用，大家若無其事地在田地繼續工作。「爺爺」佯裝什麼都不知的臉，面對著官吏們的質問；農民們運用他們的智慧，在暴政面前裝糊塗。經過很長時間的詢問後，官吏們也疲倦了，於是停止詢問，離開了村子。一松和阿松得意洋洋地把這件事告訴我和卡爾倍，他們的表情也流露出長期受壓迫者的狡猾。

我至今仍然無法釋懷的是，到底是誰向官吏洩密呢？我想不會是友義村的村民吧？可是，經過那事件之後，村民之間已經彼此懷疑起來了。我擔心他們是否會因此而分裂？

此外，離開過一段時日再回來的村子裡一切平安無事。在這間小屋裡，即使是正午時候也聽得到山麓的雞鳴，向下俯視則可見一大片紅花盛開，宛如一塊大毛毯。

跟我們回到友義村的吉次郎，在這裡也成了最受歡迎的人物。他沾沾自喜地在村裡各戶人家晃來晃去，得意而誇張地大談特談五島的情形。吹噓我在五島如何受到居民的歡迎，而帶我去的他自己也大受讚賞，居民們常請他吃飯，偶爾還會請他喝酒呢！

有一次，喝醉了的吉次郎帶著兩、三名年輕人到我們的小屋。他頻頻用手擦拭著紅褐色的臉，得意洋洋地說：

「神父呀！有我在呀！只要有我在，就沒有什麼可擔心的。」

年輕人帶著幾分敬意看他，他一高興竟唱起歌來了。唱完時說：「只要有我在，就沒什麼可擔心的。」之後，腳一伸，隨便一躺就睡著了。該說他稟性善良呢？或是得意忘形呢？總覺得讓人憎恨不起來。

告訴您一些日本人的生活方式吧！當然，這只限於我看到的友義村的百姓，以及從他們那兒聽來的忠實報告而已，並不能代表整個日本。

首先，必須告訴您的是百姓們比葡萄牙的任何窮鄉僻壤更貧窮、更悲慘。富裕的百姓，一年也只能吃到上流社會人士吃的白米兩次，他們的食物通常是芋頭和蘿蔔等蔬菜，喝的是白開水，有時還掘草木的根吃。他們坐的方式也很特別，跟我們大不相同，把膝蓋靠在地面或地板上，像我們蹲下時那樣坐在腳上，對他們來說這就是休息，我和卡爾倍對這習慣則深以爲苦。

房子幾乎都是稻草屋頂，屋內不潔，充滿惡臭。在友義村只有兩戶人家有牛、馬。

藩主對藩民具有絕對的權利，比天主教國家的國王還大。年貢的繳納極爲嚴格，遲繳的人一定會受罰。島原之亂就是百姓受不了繳納年貢的痛苦，起而反抗藩主。例如在友義村，聽說五年前也發生過一個叫茂左衛門的男人因繳不出五袋米，結果妻子被充當人質打入水牢。百姓是武士的奴隸，上面還有藩主君臨天下。武器對武士而言極爲重要，到了十三、四歲，無論地位如何，腰間都佩短刀或大刀。藩主對武士而言，就是擁有絕對權的君主，操生殺大權，可隨意沒收他們的財產。

日本人即使在冬、夏，也不常戴帽，穿的衣服根本無法禦寒。一般都用拔毛夾把頭髮拔光變成禿頭，只在後腦袋部位留下一撮長髮，打成結。和尚把頭髮全部剃光，但是日本人即使不是和尚，也有很多人把頭髮剃掉，例如武士把家業傳給兒子之後就剃髮。

……事出突然，現在盡可能把六月五日發生的事情詳細向您報告；不過，或許只是短短的報告也說不定，因爲現在隨時會有危險發生，根本無法預料，沒有時間作長而詳細的敘述。

五日近午時刻，我感覺到山下的部落似乎發生了不尋常的事。狗的叫聲透過雜樹林傳過來。在晴朗而寂靜的日子，聽到狗叫和雞啼並不稀奇，還可給藏在小屋的我們安慰；但是，今天不知怎的，卻感到不安。我被一種討厭的預感所驅，走到雜樹林的東側去看看，因爲從這裡往山麓的部落看，一覽無遺。

首先映入眼中的是，通向部落的沿海街道上有白色沙塵揚起。這是怎麼一回事呢？

一匹無鞍的馬發狂似地從部落跑出去，部落的出口站著五個男人——顯然不是百姓——一望可知他們把守著，不讓任何人從村中逃出。

我們馬上警覺到這是官吏們來搜查部落。卡爾倍和我連滾帶爬地回到小屋，把所有看得出我們住在這裡的東西，藏入以前一藏爲我們挖掘的洞穴。佈置完成後，才鼓起勇氣走下樹林，決定更進一步探查清楚部落。

部落寂靜無聲。正午的艷陽照射在街道上和部落裡，只有破爛的農戶影子落在街道上清晰可見。不知怎的，看不到有人移動，剛才還聽到的狗吠聲也嘎然停止，友義村宛如被遺棄的廢墟，不僅如此，我還感覺到包圍著部落的恐怖的沉默。我拼命地祈禱，雖然我很清楚祈禱並不能爲這土地帶來幸福或僥倖，但是知道歸知道，我仍然不能不祈禱正午這恐怖的沉默快點離開友義村。

狗又在叫了，把守著部落出入口的男人跑起來，接著，被稱作「爺爺」的老人出現了，被用繩子綁著。戴著黑色斗笠的武士在馬背上不知吆喝什麼?男人在老人後面排成一列，在嚴厲警戒下走動。只有揮鞭的武士在街道上奔馳，揚起白色塵埃，中途回過頭來。我現在對雙腳豎起直立的馬姿，以及跌跌撞撞地被男人拖曳著走的老人背影，仍然記憶猶新。他們活像一群螞蟻，在無窮盡的白色正午街道前進，影子越來越小，最後消失了。

晚上，從帶著吉次郎上山來的茂吉口中，知道了詳細的情形。官吏們是在正午前出現的。這次跟以往不同，部落的民衆事前並不知他們要來探查。部落的民衆亂跑，武士怒吼著部下，騎著馬在部落裡任意追趕。

他們明知道無論如何找不到天主教的證據，但不像以前那樣很快就死心，毫無撤走的跡象。

武士把百姓趕到一個地方，下令如果不從實招來就要抓人質；但是，沒有人招供。

「我們既沒有拖欠年貢，也認眞服公衆勞役。」爺爺拼命向武士申辯。「葬禮也在寺裡舉行。」

武士沒回答，用鞭子指著「爺爺」，霎時，站在後面的捕吏迅速地用繩子把「爺爺」綁起來。

「走著瞧吧！囉囉嗦嗦地強辯是沒用的，有人密告最近你們當中有人偷偷信奉已遭禁止的天主教。是哪些人幹的？檢舉的人賞銀圓兩百枚。要是你們不說，三天後我還會再來抓人質，你們給我好好考慮。」

百姓們身子站得筆直沒說話，男人、女人和小孩都默默不語。好久好久，這些信徒就這樣和敵人對峙。現在回想起來，在那沉靜的時候，我們正好從山上向下凝視部落的動靜。

武士調轉馬頭朝向部落出口，揮鞭，走了。被綁在馬後的「爺爺」倒下去、站起來，又倒下去，那些男人把他抬起來讓他站著。

以上就是我們聽到六月五日發生的事。

「是的，神父！我們不會說出神父的事。」茂吉兩手規規矩矩地放在工作服的膝上說：「要是官吏們再來，我們也不會說。不管發生什麼事，我們都不會說的。」

他可能是看到我或卡爾倍臉上露出恐懼的樣子，才這麼說的吧！如果，眞的是這樣，那實在是一件丟臉的事；不過，連一向都很樂觀、開朗的卡爾倍，都痛苦地注視著茂吉，這也難怪茂吉會這麼說了。

「可是，這樣下去，總有一天你們都會被抓去當人質呀！」

「是的，神父！即使那樣，我們也不會說出去的。」

「那不行。與其如此，不如我們兩人離開這座山。」卡爾倍轉向坐在我和茂吉旁邊身體顫抖著的吉次郎，「譬如說逃到他的島上去，不行嗎？」

吉次郎聽到這麼說，臉上滿佈恐懼，悶聲不響。事情演變到這地步，這個膽怯而懦弱的男人，由於送我們到這裡來被牽連，感到非常困惑。他爲了顧全自己身爲信徒的面子，小小的腦袋瓜拚命地思索著救自己的方法。他狡猾的眼睛閃著亮光，手像蒼蠅般搓揉著說：官吏用不著多久就會搜查到五島這邊來，因此，逃到附近村落不如逃到更遠的地方去。那一晚，沒有談出什麼結果來，他們又悄悄地下山回去了。

翌日，友義村村民的心開始動搖了。我現在無意責備他們，根據茂吉的報告，他們分裂成兩派，即要我們兩人搬到別處去的一派，跟無論如何要掩護我們的一派，聽說還有人指責是我和卡爾倍替村子招徠災禍；不過，其中茂吉、一藏、阿待等人出人意外表現出堅定的信仰。他們準備無論如何都要保護司祭。

這種動搖正給了官吏可乘之機。六月八日，這次來的不是坐在馬上威風凜凜的武士，而是年老的武士，帶著四、五名隨從，微笑著剖析利害得失。他說如果有人供出信奉天主教的人，今後可以減免年貢。減免年貢對日本百姓而言，是多麼大的誘惑呀！不過雖然如此，貧窮的百姓們戰勝了誘惑。

「如果這樣你們還搖頭表示不知道，我也只有相信你們了！」

年老的武士回過頭看隨從們一眼，笑了。

「只是，你們跟原告到底哪邊說的話才正確呢？這就非請示上司不可了。此外，我要釋放人質，你們當中推派三個人明天到長崎來。不會對你們做出不利的事，用不著擔心。」

聲音和話語中不帶絲毫恐嚇味道，但也因此村民知道是個陷阱。這天晚上，友義村的男人們，對明天該派誰到長崎的奉行所，討論了好久。這次派去的人可能被當成人質，也有可能無法生還，考慮到此連擔任「爸爸」的人也沒了主意。聚集在昏暗農家中的百姓們，彼此窺視著對方的臉，內心祈禱著自己能夠避開這一劫。

大家指定吉次郎，因爲他不是友義村的人，而且，今天會招徠這樣的災難，追根究柢是他惹出來的，大家心裡都這麼想。膽小的他，一聽到大家要他去當替死鬼，霎時內心慌亂，眼中含淚，最後破口大罵。村民們說，年輕人啊！我們都有老婆和小孩，你又是別村的人，官老爺不會嚴加追究的。拜託代替我們去吧！在大家說好說歹之下，軟弱的他最後答應了。

這時，一藏突然說：我也去。一向沉默倔強的他會突然說出這種話，大家深感驚訝，如此一來，茂吉也自願前往。

九日，一大早就下起毛毛細雨。小屋前的雜樹林在細雨籠罩下，一片朦朧。他們三人從山上樹林過來，茂吉似乎有點激動，一藏仍舊瞇著眼，沉默寡言，站在兩人後面的吉次郎，宛如挨了主人一頓揍的狗，露出可憐的怨恨眼神看著我們。

「神父！他們會要我踏聖像的。」茂吉低著頭，宛如說給自己聽似的，「要是不踏，不只是我們，連全村子都會受到審問。神父啊！我們該怎麼辦才好呢？」

憐憫之情湧上心頭，不由得說出你們大概不會講的話，同時腦中掠過這樣的事：從前在雲仙的迫害中，日本人命令卡布列耶魯神父踏基督的聖像時，神父說：「要我踏基督聖像，不如把我的腳切掉。」我知道許多日本信徒面對著遞到自己跟前的聖像的心情，也和神父一樣；可是，教我如何對可憐的三人做出同樣的要求呢？

「可以踏下去的，可以踏下去的。」

我這麼回答之後，才發覺說了身為司祭不該說的話，卡爾倍以責備的眼神看著我。

吉次郎的眼中噙著淚。

「爲什麼主要賜給我們這麼大的痛苦呢？神父！我們並沒有做什麼壞事呀！」

我們沉默著。茂吉和一藏也默默地凝視著虛空的一點。我們齊聲爲他們唱最後的祈禱，祈禱完畢，三人下山而去。我和卡爾倍一直注視他們消失在霧中的背影，如今回想起來，這是我們和茂吉、一藏所見的最後一面。

又有一段很長時間未提筆了。前面已寫過友義村被官吏搜查的事，爲了知道在長崎受到審問的三人結果如何，不得不等到今天才提筆。我們不知做了多少禱告，希望他們能和「爺爺」安然返回。村子裡的信徒每晚都偷偷爲他們禱告。

我並不認爲神安排的這次試煉毫無意義。主所賜的一切都是好的，至於這次的迫害和苦難，爲什麼會降臨到我們身上呢？我想將來總有一天會了解的。而我現在寫這件事是因爲出發的那天早上，吉次郎低著頭小聲地說出的話，逐漸在我內心形成了重大的負擔。

「爲什麼主要賜給我們這麼大的痛苦呢？」他回過頭來以怨恨的眼神對我說：「神父！我們並沒有做什麼壞事呀！」

如果把那當成耳邊風便什麼事也沒有，不過是膽小者的怨言罷了；可是，它爲什麼像針般刺痛我的心呢？主爲什麼要賜給這些淒慘的日本百姓如此的迫害或拷問的試煉呢？不！吉次郎想說的是更可怕的事，那是神的沉默。自從發生宗教迫害到今天已有二十年之久，在日本這塊黑色土地上有多少信徒呻吟，司祭流著紅色的血，教會的塔倒塌了；但是，神爲什麼在把一切奉獻給自己的信徒面前，還沉默著呢？我覺得吉次郎的怨言中包含著這種疑問而感到難過。

現在我要告訴您，後來他們的命運。三人到位在櫻町的奉行所報到之後，就被關在後面的牢獄裡，兩天後官吏才審問他們。不知怎的，那天的審問是從事務性的問答開始問起的。

「你們知道天主教是邪教嗎？」

茂吉代表大家點點頭。

「有人密告你們信奉這種邪教，你們承認嗎？」

三人回答：我們是虔誠的佛教徒，遵守檀那寺佛僧的教理。於是，官吏緊接著說：「既然如此，就在這裡踏這個看看！」腳邊擺著一張嵌有抱著聖子的聖母像的木板。就像我鼓勵他們要踏下去那樣，首先是吉次郎踏下去，接著是茂吉和一藏。可是，如果以爲這樣便沒事，那就錯了。坐成一排的官吏們，臉上慢慢地浮現出淺笑。他們注意、觀察的不是三個人踏下去的結果，而是那時候的臉色。

「你們以爲這樣就騙得了上頭嗎？」年長的官吏說。三人現在才看清這個年長的人就是前幾天到過友義村的老武士。「現在你們的鼻息粗重，這瞞不過我的眼睛！」

「不！我們並不緊張！」茂吉拼命地叫著。「我們不是天主教徒。」

「既然這樣，再照我的話做做看！」他命令他們三人在聖像上吐口水，罵聖母是千人騎的妓女。這是不久之後我才知道的，是威利也諾神父所稱最危險的人物——井上發明的。曾爲了要出人頭地受過洗的井上，深知日本貧窮百姓的信徒們最崇拜的是聖母。事實上，我也是來到友義村之後，才知道有時百姓們對聖母比對基督還要崇敬，這令人有點擔心呢！

「你們不敢吐口水嗎？我要你們說的話，一句都說不出口嗎？」

一藏兩手拿著聖像，警吏在背後戳他，他拚命地想吐口水就是吐不出來。吉次郎低著頭，一動也不動。

「怎麼了？」

被官吏猛力一抓，眼淚從茂吉眼中沿著臉頰流下來。一藏也痛苦地搖搖頭。就這樣，兩人的身體終於說出自己是天主教徒。只有吉次郎在官吏的威脅下，喘著氣說出冒瀆聖母的話語。接著，官吏命令他：

「把口水……」

他在聖像上吐了幾口永遠擦拭不掉的、恥辱的口水。

審問完畢後，茂吉和一藏兩人被關入櫻町的監獄十天。我只說兩人，這是因爲棄教的吉次郎被趕出監獄後，就銷聲匿跡了。從那天起到今天爲止，他還沒回到過這裡。很顯然是不敢回來吧！

梅雨季開始了！每天都細雨綿綿。我現在才知道，這梅雨陰鬱得足以使一切的表面和根部都腐爛。整個村子荒涼如墓地。兩人會遭遇到什麼樣的命運？這是大家都猜測得到的。大家都擔心：不久自己是否也像他們一樣會受到審問，幾乎無人到田裡工作。荒涼的田地前方是黑色的海。

二十日，官吏又騎馬到村子裡來公告：已決定茂吉和一藏在長崎街上遊行示眾後，在友義村的海岸處「水磔」的刑罰。

二十二日，村民看到豆粒般大小的行列，在梅雨籠罩的灰色街道上由遠而近；沒多久，行列逐漸變大。在正中央馬上的一藏和茂吉，雙手被縛，低著頭，旁邊有多名男人繞著走。村民家家閉戶，不敢外出。隊伍後面跟了一大群，沿途村莊加入看熱鬧的人。從我們的小屋也看得到這行列。

一到海岸，官吏就下令生火，先把一藏和茂吉濕漉漉的身體烘暖。聽說還大發慈悲，給他們喝了一小碗的酒。聽到這裡時，我突然想起基督臨死之際，也有一個男人用海綿吸醋給基督喝。

他們在海浪邊際，豎起兩根綁成十字架的木樁，一藏和茂吉被綁在十字架上。到了傍晚潮水上漲時，兩人的身體從下顎以下全都會泡在水裡吧！他們不會很快就斷氣，大概二、三天後，才會身心俱疲衰絕而亡。官吏們的目的是，讓友義村村民和附近的百姓目睹長時間的痛苦慘狀，以後不敢再接近天主教。茂吉和一藏在過午時分被綁到木樁上，官吏們留下四個人監視，其餘的都騎馬回去了。由於下雨和寒冷，聚在岸邊看熱鬧的人群逐漸減少了。

潮水漲上來了。兩人的姿態不變。波浪把他們的身體、雙腳和下半身淹在水裡；波浪沖激過來，在黑暗的沙灘上激起單調的聲響，然後又退下去了。

傍晚，阿待和姪女帶了食物來，得到監視的男人的許可之後，她們才划著小舟到兩人旁邊。

「茂吉！茂吉！」

阿待叫著。

聽說茂吉回答「嗯！」接下來叫一藏、一藏，年紀大的一藏已經答不出話來了。不過，從他頭部偶爾的抽動知道他還活著。

「很痛苦吧！要忍耐呀！神父和我們都爲你們祈禱，你們一定會到天國去的！」

阿待眞誠地鼓勵他，想把帶來的芋頭乾塞進茂吉嘴裡，茂吉搖搖頭。或許他反正要死，不如早一點脫離苦海。

「阿婆，也不要給一藏吃呀！」茂吉說：「我已經受不了了！」

阿待和姪女哭著回到海灘。她們在海灘的雨中放聲大哭。

夜，來臨了。從我們躲著的山上小屋，依稀可見監視著他們的男人焚燒的紅色火焰。還有聚集在海岸的村民們，凝視著黑暗的海面。天空和海面一片漆黑，連茂吉和一藏在哪裡都分辨不出。也不知他們是生？是死？大家哭泣著，在心中禱告。這時，在波浪聲中，他們聽到了像是茂吉的聲音。這個年輕人是爲了告訴村民自己還活著呢？或是爲了鼓勵自己呢？斷斷續續地唱著天主教的歌。

走吧！走吧！

到天國的教堂去吧！

天國的教堂；

遙遠的教堂……

大家默默地聽著茂吉唱。監視的男子也聽著，在雨聲、波浪聲中，斷斷續續傳來。

二十四日，又下了一整天的毛毛雨。友義村村民們又成群結隊從遠處注視著茂吉和一藏的木樁。海灘如同凹陷的沙漠，在毛毛雨中一片荒涼。今天鄰村沒有異教徒來看熱鬧。潮水退下後，只看到綁著兩人的木樁孤立在遠處，已分不出木樁和人了。好像茂吉和一藏已經嵌入木樁，成爲木樁的一部分。不過，從茂吉發出的低沉呻吟聲中，知道他們還活著。

呻吟聲時斷時續，茂吉已沒有力氣像昨天那樣唱歌來鼓勵自己了。呻吟聲停止了大約一個小時之後，又隨風傳送到村民耳中。每次聽到如野獸的呻吟聲，百姓們不由得身體顫慄而哭泣。午後，潮水又逐漸上漲；海，黑冷的色彩轉濃，木樁逐漸沉入海裡。波浪激起白色泡沫，有時越過木樁湧向海邊，有一隻鳥掠過海面，飛向遠方。就這樣一切都結束了。

他們殉教了！可是，這是什麼樣的殉教呢？長久以來，我做太多如聖人傳上所寫的殉教——例如他們的靈魂歸天時，天空充滿了光輝，天使吹奏喇叭，轟轟烈烈的殉教的夢。可是，現在我向您報告的日本信徒的殉教並不是那麼轟轟烈烈，而是如此悲慘，這般痛苦。雨，未曾有過片刻的間歇，不斷地落在海上。而海殺死他們之後，一味地沉默不語。

傍晚，官吏騎著馬來了。在他的指示下，監視著的男人收集潮濕的木片，開始燒起從木樁解下的茂吉和一藏的屍體。這是防止信徒們把殉教者的遺物帶回去。屍體燒成灰之後灑向海中。焚燒他們的火焰，在黑褐色風中飄蕩，煙沿著沙灘流逝，村民們一動也不動，以空虛的眼神注視著灰煙的流逝。當一切結束時，他們像牛一樣垂著頭，拖曳著腳步回去了。

今天，在我寫這封信當中，有時爲了俯視信任我們的兩個日本百姓的墓地——海，走到小屋外頭。海，一直到遙遠的前方淨是陰鬱的黑暗，灰雲下連島影都看不見。

一切都沒變。要是你的話，可能會說他們的死絕非毫無意義。它將成爲教會的礎石。主絕不會賜給我們無法超越的試煉，茂吉和一藏現在可能已在主的身旁，跟許多在他們之前殉教的日本人一樣獲得永遠的幸福！這些我當然都了解。可是為什麼現在我心中會有種類似悲哀的心情呢？為什麼綁在木樁上的茂吉斷斷續續的歌聲，會伴隨著痛苦在腦中甦醒過來呢？

走吧！走吧！
到天國的教堂去吧！

我聽友義村村民說，許多信徒被帶到刑場時都唱這首歌。這是一首旋律悲傷、沉鬱的歌。這地上對日本人而言太痛苦了。在痛苦之餘，他們唯有依靠著天國才能活下去。這首歌就包含著這種悲哀。

連我也不清楚自己到底想說什麼？只是，我對茂吉和一藏為了主的榮光呻吟、痛苦，以至於死亡的今天，海仍然發出陰沉而單調的聲音啃蝕著海灘，我無法忍受。我在海可怕的寂靜背後，感受到神的沉默——神對人們的悲嘆聲仍然無動於衷……。

這次很可能是我最後的報告。今早我們剛接到通知，官吏正召集人手準備明天上山來搜查。在他們上來搜查之前要把小屋恢復原狀，拭去所有我們生活的痕跡。我們必須捨棄小屋，從今夜起要流浪到哪裡去呢？卡爾倍和我都無法做決定。我們討論了好久，是兩個人一塊兒逃亡呢？或者分開比較好呢？我們決定縱使有一人落入異教徒的虎口，另一個也要留下來。可是，留下來究竟有何意義呢？卡爾倍和我繞道炎熱的非洲、橫渡印度洋，再從澳門偷渡到這裡來，並不是爲了像現在這般躲躲藏藏；也不是爲了像野鼠般躲在山裡，向赤貧如洗的百姓要糧食，還見不到信徒，一直蹲居在這放煤炭的小屋。我們拋棄了多少理想……。

可是，一個司祭繼續留在日本，就像羅馬的卡達昆貝（Catacombe）燭台上的一盞油燈繼續燃燒著——至少希望具有這般意義。因此，卡爾倍和我都發誓，縱使分道揚鑣後也要盡可能活下去。

因此，今後即使我的報告中斷（我自己也沒把握以前的報告是否已送到您手中），也請不要以爲我們兩人已死。在這荒廢的土地上，無論如何必須留下一把儘管很小但卻可耕種的鋤頭……。

我不知海延伸到哪裡，也不知夜的黑暗從哪裡開始，更看不清島嶼在哪裡。只有在背後划船的年輕人粗重的鼻息聲、咿啞聲的槳聲、波浪拍打船身的聲音，讓我感覺到自己現在還在海上。

我和卡爾倍在一個小時之前分手了。二人分別搭乘小船離開友義村，他的船在咿啞的槳聲中，靜靜地向平戶方向而去。他的身影在黑暗中消失了，連說一聲再見都來不及。

剩下我一個人時，身體就不聽使喚地開始顫抖起來。如果說不害怕那是騙人的，不管信仰多深，肉體的恐懼無關意志不斷襲來。卡爾倍在的時候，麵包分成兩半吃，恐懼也彼此分攤。從現在起，自己一個人在這黑夜的海上，必須完全背負起寒冷和黑暗。（這種顫抖是所有來到日本的傳教士都經驗過的嗎？他們怎麼處理呢？）想到這裡，不知怎的，心中浮現出吉次郎膽怯如鼠的小臉。想起在長崎的代官所用腳踏聖像後逃之夭夭的那個膽小鬼，如果自己不是司祭，只是一般的信徒，或許也就這麼逃走了。促使我在這黑暗中仍然繼續前進的是，身爲司祭的自尊和義務。

我向划槳的年輕人要開水，可是對方沒有反應。自從殉教事件之後，逐漸了解友義村村民總覺得爲他們招徠災禍的外國人是項大負擔。這個年輕人或許也是這種想法，盡可能不要陪伴我。爲了滋潤乾渴的舌頭，伸指沾海水舔了舔，心裡想著基督在十字架上舔醋的味道。

小舟逐漸改變方向，從左邊傳來波浪拍擊岩石的聲音。還記得以前到另一座島嶼時，曾經聽過像這種低沉如擊大鼓的波浪聲。海，在這裡形成深的海灣，沖洗著島上的沙灘。不過，整座島嶼都被染成黑色，根本看不出村子在哪裡。

不知有多少傳教士和現在的自己一樣，利用小舟到這個小島來。可是，他們的情形和我完全不同。他們在日本時，是一切都順利的微笑時代。處處都是安全場所，可以找到能睡得安穩的家和歡迎司祭的信徒。藩主們雖然不是出自眞正的信仰，但是爲了獲得貿易上的利益，也爭相保護他們。而他們也利用這點，吸收了許多信徒。不知怎的，澳門威利也諾神父的話突然在我心中甦醒。「那時候，我們認眞討論過我們傳教士在日本應該穿絹的修道服，還是應該穿木棉的修道服。」

我突然想起那句話，摩擦著膝蓋，對著黑暗小聲地笑了。請不要誤會，我並非看不起那個時代的傳敎士，只是在這船蟲到處爬行的小船裡，想到現在穿著友義村的茂吉給的工作服的這個男人，也和他們一樣是司祭時，突然覺得可笑。

漆黑的岸壁逐漸接近。從海灘飄來腐爛的海草臭味，船底碰到沙子時，年輕人從船上跳下，兩腳浸在海裡用雙手推船頭。我也在淺灘處下船，深深吸了一口含鹽分的空氣，上到沙灘上來。

「謝謝你！部落就在這上頭吧！」

「神父，我……」

不用看他的表情，從聲音我就知道這個年輕人不想再陪我了。我一搖手，他鬆了一口氣馬上跑向海裡，跳上船時發出的低沉聲音在黑暗中淸晰可聞。

槳聲漸去漸遠，我想現在卡爾倍會在哪裡呢？好像母親哄小孩般，我對自己說：怕什麼呢！然後走在寂靜空曠的沙灘上。我認得路，知道從這裡一直往前走，可以走到曾經歡迎過我的村子。我聽到遠處某種低沉的叫聲，那是貓的叫聲。那時，我以爲可以找到休息的地方，找到少許能夠充饑的食物。

接近村子入口，貓的低沉叫聲比剛才更淸楚。腥臭味像吐氣般從村子那邊隨風飄來，那是魚的腐臭味！當我一腳踏入村子時，發現不管哪間小屋都靜得可怕，看不到半個人影。

整個村莊用廢墟來比喩，不如用正受到戰火的洗禮、蹂躪來形容更爲貼切。看不到被放火燒過的房子，可是路上到處都是破碗盤，每一家門戶都大開，門都被打破了。貓發出低沉的叫聲，旁若無人地嘴裡啣著東西，在空屋裡到處亂闖。

我在村莊正中央站立好久。很奇怪，那時沒有絲毫不安和恐懼。腦海裡有一種和感情無關的聲音反覆地響著：這是怎麼一回事？這是怎麼一回事？

試從村落的這一頭，儘量不弄出聲音走到另一頭。不知哪裡跑出來的瘦巴巴的野貓晃蕩著，有的若無其事地在腳邊穿來穿去；有的蹲在地上眼睛發出亮光瞪著我。我因爲口渴和饑餓，走進一家空屋尋找食物。結果，放入口中的只是盆中的積水而已……

一天下來的疲倦就在那裡把我擊倒了。我像駱駝一樣靠在牆壁上睡著了，恍惚中感覺到貓在身旁走來走去，尋找腐壞的魚乾。偶爾睜開眼睛，從被打破的門縫望出去，看到的是黑暗的夜空。

清晨的冷空氣使我咳嗽。天空泛白，從小屋裡村莊背後的山巒朦朧可見。一直停留在這裡是危險的！我站起來，走到路上來，想離開這個無人的村莊。路上跟昨夜一樣到處都是碗、盤、破布。

到哪裡才好呢？我想沿著海邊走容易引人注意，不如越過山比較安全。但我想，像一個月前的這個村莊一樣一定還有信徒隱藏著，但不知在哪裡？首先必須找到這樣的地方，打聽一切狀況之後再決定今後該做的事。這時，我突然又想起昨夜分手的卡爾倍現在不知怎麼樣了？

我在村莊裡挨家挨戶地找，在亂得幾無踏腳處找到少許曬乾的米，我用掉在路上的破布把米包起來向山上走去。

腳被因露水沾濕的泥土弄髒了，爬上一階一階的梯田，一直到最近的山丘頂上。在磽薄的土地上用心耕犁，用舊石塊區分的山丘梯田，讓人深深感受到信徒的貧窮。他們在沿海的狹隘土地上，無法生存，也繳納不出年貢。麥、小米長得瘦弱，澆在田裡的水肥散發出刺鼻的臭味。逐臭前來的蒼蠅在臉旁嗡嗡地飛來繞去。好不容易天亮了，看到群峰如銳劍指向天空；今天也有烏鴉在白雲下飛翔，發出嘶啞的聲音。

我來到山丘頂上後，停下腳步，俯視眼下的村莊；這是在宛如一把泥土大小的土地上，稻草屋頂擠得密密麻麻的村莊，到處是用泥土和樹木混合蓋成的小屋；路上，還有黑色的海灘上不見半個人影。我靠在一棵樹上，眺望籠罩著山谷的乳色靄氣。只有早上的海是漂亮的！有幾個小島散在海中，在微陽照射下，發出針般的亮光，啃食海灘的波浪激起白色泡沫。我想到以薩比耶爾神父、卡普拉爾神父、威利也諾神父爲始的許多傳教士曾在信徒們的保護下，往返於這海上。來到平戶的薩比耶爾神父一定經過這裡。那個德高望重、在日本的傳教長特爾列斯神父也一定多次造訪這些島嶼。但是，他們無論走到哪裡都受信徒們的敬仰、歡迎，有用花裝飾的美麗小教堂。不必像我這般無目的地藏匿在山裡。想到這裡，不知怎的，我發出了輕視的淺笑。

今天天空陰霾，似乎會是個悶熱的日子。一群烏鴉執拗地在頭頂上盤旋，發出憂鬱而壓抑的叫聲，我停下腳步就不叫了，一走動卻又追過來。有一隻烏鴉不時停到附近的樹枝上，拍打著翅膀朝這邊窺視著。我拿起小石頭扔了牠一、二次。

近午時分，我走在像把劍的山脊。一直挑著可以看到海和海岸的道路走，注意尋找海邊的村莊。在陰霾的天空，含雨的雲朵像船隻緩緩流動，坐在草地上嚼著從村子裡偷來的乾米和在層層梯田上找到的小黃瓜。青澀的小黃瓜汁給了我少許力量和勇氣。風從草原的這邊吹向另一邊，我閉上眼睛，聞到風中有股燒焦的味道，於是坐起身子。

那裡有焚燒後的痕跡。先前，有人經過這裡，撿樹枝燒火。我把五根手指伸進灰中，裡面還有少許餘溫。

折回去好呢？還是繼續走下去呢？爲這問題我考慮了好久。在杳無人跡的村子和褐色山中靜靜流浪一天，就覺得氣力衰弱。任何人都行，只要是人就追上去的慾望，與因而可能帶來的危險，讓我苦惱了片刻，最後我向誘惑投降。我也安慰自己，即使基督也抗拒不了這誘惑。因爲祂下山來找人。

燒火的男人往哪個方向去呢？這是馬上就可以看出來的，因爲道路只有一條。他一定在這山脊上，往我來時的相反方向去。我抬頭仰望天空，白色的太陽在雲中發出亮光；跟剛才不同的一群烏鴉，在陽光下嘎嘎地叫個不停。

我小心翼翼地加快腳步，草原上到處分佈著柯樹、橡樹、樟樹等，有的形狀像人。那時，我慌忙停下腳步。因爲追趕過來的烏鴉聲，讓我心中產生不祥的預感，爲了排遣這種心情，我邊走邊看走過的樹木種類。我從小就喜歡植物學，到了日本之後遇到自己知道的樹木一眼就能分辨出來。朴樹、糙葉樹、紅羊齒等是神賜給每一個國家的樹木，其他的灌木則是我以前從未見過的。

午後，天空短暫放晴。地上的水窪映出藍空和白色小雲朵。我蹲下來，爲了要沾濕流汗的頸，伸手去攪動水窪裡的那朵白雲。霎時，雲朵消失了，接著一張男人的臉孔浮上來——憔悴，而眼眶凹陷的臉。爲什麼我在這時候會想到另一個男人的臉呢？有許多畫家畫出幾世紀之間被釘在十字架的那個人的臉。事實上誰也沒見過祂，不過畫家卻懷著人類一切的祈禱和夢想，把祂的臉表現得更美、更聖潔。無疑的，祂眞正的臉，氣質一定更高尚。可是，現在映在水窪中的卻是因污泥和鬍鬚而微髒、因不安和疲勞而變形的、走投無路的男人的臉。您知道在這種時候，人會突然想笑的衝動，我把臉湊到水窪上，歪嘴、瞠目，活像腦筋有問題的人反覆做出多次滑稽的表情。

（爲什麼會做這樣的傻事？爲什麼這麼傻！）

林中突然傳出蟬鳴。周遭一片靜寂。

陽光逐漸轉弱，天空又變陰霾，草原開始陰暗下來時，我放棄追尋剛才燒火的男子。「我們貪圖滅亡與罪惡，在無路的荒地上行走」，口中吟著湧現心頭的詩篇，拖曳著腳步。「太陽昇起，太陽落下，回到原處。風向南吹，又向北轉，繞著繞著，繼續它的行程。百川皆入海，海未曾滿溢，一切都是憂鬱。已發生的事，不再發生。已做過的事，不必再做。」

那時，跟卡爾倍躲在山裡。偶爾晚上聽到的海嘯聲，會突然在心中甦醒過來。黑暗中的波浪聲低沉如大鼓聲；整晚，發出毫無意義的衝擊、退下，退下又撞擊的聲音。海浪無動於衷地沖洗、吞噬茂吉和一藏的屍體，他們死後，同樣的表情會在海中擴大，而神和海仍然沉默著，繼續沉默著。

我搖搖頭：沒有這樣的事。如果神不存在，人就忍受不了海的單調和那種可怕的無動於衷。

（不過，萬一……當然，只是萬一）內心深處，另一種聲音喃喃地說。（萬一沒有神的話……）

這是可怕的念頭，祂要是不存在，這是多滑稽的問題。如果眞是這樣，那被釘在木樁上、被海浪拍打的茂吉和一藏的人生不就是一齣笑鬧劇嗎？橫渡多處大海，費了三年歲月才到這國家的敎士們，不就是一直看著滑稽的幻影嗎？而現在自己在這杳無人跡的山中流浪，也是多麼滑稽的行爲啊！

我拔下一根草，拼命在口中咀嚼，壓抑著湧到嘴邊的念頭。當然，我知道最大的罪是對神的絕望，可是，神爲何沉默，我不懂。「主從五個火災的城裡救出義人」，如果，現在在這不毛之地也冒煙、樹上也長出不會成熟的果實時，祂如果能爲信徒說一句什麼話都好，然而祂……

我滑也似地跑下斜坡。如果慢慢走的話，這種不愉快的念頭會像水泡湧到意識裡，極爲可怕。如果我肯定它，那麼到今天爲止的所做所爲就都被否定了。

小雨滴落到臉上，我仰望天空，見前一刻還陰霾的天空，已擴散成形如大手掌的黑雲緩緩飄來。雨滴越來越多，一下子整個草原上張起了豎琴弦的雨幕。我躲入路旁枝葉茂密的雜樹林裡。小鳥像一群箭射出，去尋找棲身的地方。雨打在柯葉上，發出像小石子落在屋頂上的聲音，此起彼落。雨，把我的耕作服淋得濕漉漉，在銀色雨粒中，樹梢搖晃像海草。就在這時候，我發現位在樹枝搖晃的前方有一間小屋。可能是村民到這裡砍樹而搭建的吧！

驟雨，來得快，也去得急。草原又微微發白，小鳥宛如從夢中醒來又開始喧鬧，從山毛櫸和栴樹葉上掉落的大水滴弄出聲響，我用手掌把從額頭流向眼睛的雨滴擦掉，走進小屋。腳剛踏入小屋裡，一股刺鼻的臭氣迎面而來，入口旁有蒼蠅迴繞。蒼蠅從剛排泄出來的人糞處飛走了。

從這排泄物知道先前的人剛剛在這裡休憩，才走不久。老實說，好不容易才找到這地方，對這個無禮男子感到憤怒但也感到好笑，忍不住笑出來了。至少，由這滑稽的東西，使我對這個男人的警戒心減輕了很多。何況，從形狀上看來，顯然它的主人不是老年人，是身體健康的年輕人。

腳踏入小屋中時，灰燼還冒著煙。很慶幸的是還有小火種，可把淋濕的耕作服慢慢烘乾。雖然浪費了很多時間，不過從目前的速度來看，要追上他似乎並不困難。

走出小屋，草原跟剛才藏身的樹林都閃爍著金光，樹葉像沙一樣發出窸窣聲。我撿起一枝枯樹枝，當枴杖使用，不一會兒就來到海岸線清晰可見的斜坡。

海，仍然閃爍著如針般的憂鬱亮光，啃蝕彎曲如弓的海灘。海岸的一部分是乳色的沙灘，其餘的是里石砌成的港灣。港灣內有小小的碼頭，沙灘上拖放著三、四艘漁船。西邊，在樹林圍繞中漁村清楚可見。這是從今朝以來，第一次看到有人的村莊。

我在斜坡上坐下，抱膝，如野狗般的悲慘眼睛一直眺望著村莊。在小屋內留下火燼的男人或許已往下走到那村莊也說不定。如果自己從這裡下去也會找到那裡。不過，爲了確定那個村莊有無教徒，先探看有無十字架或教會。

威利也諾神父或澳門的神父常說：不可以把那個國家的教會想像成跟我們國家的一樣。在這國家，藩主們命令傳教士把以前使用過的住宅或寺廟當作教會使用。因此，百姓當中把我們的宗教和佛教混爲一談的似乎相當多。連聖薩比耶爾也因通譯的錯誤，剛開始時犯了同樣的錯誤。聽了他的話的日本人，把我們的主當成是日本國民長久以來信仰的太陽。

因此，不要因看不到尖塔的建築物就以爲沒有教會。或許教會就在用泥土和木塊搭成的簡陋小屋裡。而貧窮的信徒們或許正渴望著給自己聖體、聽自己告解、爲小孩施洗的司祭到來呢。在這傳教士和司祭都被驅逐的曠野中，在這黃昏之島，現在只有我帶來生命之水。只有穿著滿是泥巴的耕作服、抱膝的我一個人。主啊！祢所做一切都是好的，祢的住家也這麼美。

激烈的感情自心底湧上，用枴杖支撐著身體，向我的教區——是的，那是主交付我的教區——走下，在雨水猶存的斜坡上有好幾次差點滑倒。這時，像地震的響聲，分不清是尖叫或哭泣的聲音，突然，從松樹圍繞的部落一端發出。拄著枴杖的我，停下腳步，看到黑褐色的火焰和黑煙騰空。

到底發生了什麼事？我本能地警覺到時身體顫抖，趕緊衝上剛剛滑下來的斜坡。我看到在我跑著的斜坡對面，有一個也穿著灰色耕作服的男人在逃走。他看到我，吃驚地停下腳步。因驚愕和恐懼而扭曲的臉，看來極爲顯眼。

「神父！」

那個男子揮揮手叫著。用手指著有哀號傳出、赤焰騰空大火熊熊的部落，做手勢要我躲起來。我一口氣跑出草原，像野獸一樣躲在盤踞著的岩石後面，喘著氣。聽到一陣腳步聲，發現那個男子骯髒、細小如鼠的眼睛從對面的岩石隙縫正往這邊窺視。

手掌上有汗濕的感覺，我一瞧，是血！一定是跳下時撞到了什麼。

「神父！」躲在岩石後面的小眼睛，一直對著我看。「好久不見了。」

他像爲了討我的歡心，蓄著鬍子的臉上浮現出卑屈的笑容。

「這裡很危險的，不過，有我看守著。」

我默默地注視他的臉，吉次郎如挨了主人罵的狗，把眼睛避開。然後，拔起身旁的一根草放入口中，用發黃的牙齒嚼了起來。

「瞧，著火了，燒得好厲害。」

他似乎是故意說給我聽，獨自俯視村莊。我遠望著他，過了一會兒才察覺到在層層梯田上燒火，把排泄物留在小屋的男子就是他。可是，他爲什麼跟我一樣在山裡躲躲藏藏呢？他已踏過聖像，照理官吏不會逮捕了呀……

「神父！您怎麼來到這小島呢？這小島也很危險。不過，我知道隱匿的村莊。」

我還是沉默著。只要是這個男子走過的村落，一定遭到官差的搜索。我心裡早就懷疑，說不定是他帶官吏來的。早就聽說過有棄教的人變成官吏的爪牙。棄教者爲了拭去自己的悲慘和羞恥，總希望把以前的伙伴拖下水。那種心理就跟被放逐的天使想引誘神的信徒犯罪一樣。

周遭已漸漸被夕靄籠罩，村莊裡被點火燃燒的不只是一角而已，已蔓延到周圍的稻草屋頂；黑褐色的火焰在暮靄中，宛如活的東西晃動著。儘管如此，四周一片寂靜。彷彿村落和村中的百姓都默默地接受這痛苦。或許，他們在長長的、長長的時間裡已習慣了這種痛苦，已經不再哭泣，不再哀號。

對我來說，置村莊於不顧的痛苦，有如硬剝掉已快痊癒的結疤。心中有一個聲音說：你卑怯、你懦弱；另一種聲音卻說：不要被一時的衝動或情緒所束縛，你和卡爾倍是現在這國家中僅有的二個司祭。如果你消失了，教會也將從日本消失了。你和卡爾倍無論受到何等恥辱和痛苦都得忍受、活下去。

我也反省：這聲音是否爲自己的軟弱強做辯解呢？可是，在澳門聽到的一件事突然湧上心頭。那是一個方濟各神父的故事，他停止潛伏，不再逃避殉教，出現在大村落藩主城中。他特意宣稱自己是神父。就因爲他一時的衝動，使得其他的神父難於躲藏，連信徒們也遭殃，這是大家都知道的事。司祭並非爲殉教而存在；在這被迫害的時期，爲了不讓教會的火種熄滅，非活下去不可。

吉次郎像野狗一樣跟我保持一定的距離尾隨著。我停下來他也停下來。

「請你不要走太快，我身體不好。」

他在後面拖曳著腳步，對我說。

「你要去哪裡？你要知道啊，奉行所對神父懸賞銀圓三百枚……」

「我值三百枚銀圓啊！」

這是我對吉次郎說的第一句話。苦笑自我嘴角浮出。猶大出賣主，基督的價碼是三十銀圓。我的價值是祂的十倍。

「你一個人走很危險的！」

他安心地和我並肩走，用樹枝敲打身旁的草叢。暮色中，群鳥囀啼。

「神父！我知道信徒住的地方，到那裡就安全了。今天睡在這裡，明天天一亮就出發吧！」

我還沒回答，他就往那兒蹲下，很靈巧地撿拾未被黃昏的露水沾濕的枯枝，從袋中掏出打火石點火。

「您肚子餓了吧？」

他從袋子裡拿出幾條魚乾。我飢餓的眼光看著那魚乾，嚥下口水。早上只嚼了少許生米和胡瓜，吉次郎掏出的糧食對我而言是難以抵抗的誘惑。把魚乾放在剛點燃的火上一烤，飄散出一陣陣無可言喻的香味。

「請吃吧！」

我露出牙齒，迫不急待地嚼起那魚乾。只是一塊魚乾，我的心就向吉次郎讓步了。吉次郎注視著嘴巴嚼動的我，他的表情是滿足、輕蔑。他嘴裡仍然含著草根，就像叼著煙一樣。

黑暗籠罩周遭。山裡冷颼颼的，身上也有露水落下，我倒在火旁假裝睡覺。告訴自己可不能睡著了，吉次郎可能趁我睡著時偷偷跑掉。或許在今晚，這個男子可能像背叛同伴一樣把我出賣。對窮得像乞丐般的這個男子來說，三百枚銀圓是多麼耀眼的誘惑呀！我閉上眼睛，疲倦的眼簾裡出現了今早從山丘和草原上俯視的大海和島嶼的風光，歷歷如繪。大海上波光粼粼，小島點綴其間。威利也諾神父說：從前有傳教士在衆人的祝福下乘小舟橫渡美麗大海的時候；也有用花裝飾教會，信徒拿著米或魚上教會的時候；還有設立神學院，學生們也和我們一樣用拉丁語唱歌，演奏豎琴之類的樂器，甚至連藩主都大受感動的時候。

「神父！您睡著了嗎？」

我沒有回答，瞇著眼睛窺視吉次郎的舉動。如果他偷偷從那裡跑出去，一定是要去告密。

吉次郎察看了我睡覺的情形，慢慢挪動身體。我看到他像動物般躡手躡足出去了，沒多久聽到他在樹木草叢裡小便的聲音。我還以爲他會這樣一走了之，沒想到他嘆著氣又回到火旁。在已燒成灰燼的枯樹枝上添加新枝，他伸出雙手烤火，不住地唉聲嘆氣，黑褐色火焰照出他兩頰瘦削的側臉。之後，由於一天的疲倦我睡著了。偶爾睜開眼看到吉次郎仍坐在火旁。

第二天，我們在艷陽下繼續行走。昨天被雨淋濕猶未乾的地面，升起白色的水蒸氣；在山丘對面，雲發出耀眼的亮光。我從剛才開始，就覺得頭痛和口渴，很難過。吉次郎可能沒注意到我難過的樣子，有時用手杖壓住緩慢滑過道路躲入草叢的蛇，抓入骯髒的袋裡。

「我們老百姓啊，拿這長蛇當藥吃！」

他露出黃牙，浮現出淺笑。我在心裡打個問號：爲什麼你昨晚沒爲了三百銀圓去告密呢？想起聖經中最具戲劇性的一幕：基督在餐桌上對猶大說：「去吧！去做你所想做的。」

我即使當了神父之後，仍然不解這句話的眞正含意。跟吉次郎一起拖曳著腳步走在水蒸氣猛往上升的路上，我想把這重要的經句，引用在自己身上。基督對出賣自己的男人說去吧的時候是何種心情？是憤怒？是憎恨？或是出自愛心的話呢？如果是憤怒，也就是說，基督把這個男子從世上所有的人當中排除出去，不在拯救之列。把基督的氣話當眞的猶大是否就永遠不能得救呢？那麼，主讓一個人墮入永遠的罪惡之中，不加理會。

不！不可能是這樣。基督連猶大都拯救。否則，不會把他列入弟子之中。既然這樣，基督那時爲什麼不阻止已誤入歧途的他呢？我從神學生時代起，就對這點一直無法理解。

這問題，我請問過許多神父，也請教過費雷拉老師。我已不記得費雷拉老師當時是怎麼回答的。不過，現在沒啥印象，我想那時他的回答並沒有解開我的疑點。

「那句話不是出自憤怒或憎恨，而是出自厭惡。」

「老師，是對猶大的一切都厭惡嗎？那時候基督是否已不愛猶大了呢？」

「不是的。拿被妻子背叛的丈夫的情況來想一想就能了解。丈夫仍然愛著妻子。可是，他無法忍受妻子背叛自己這件事。丈夫的心仍然深愛著妻，但是對她的行爲感到厭惡……或許這就是基督對猶大的心吧！」

對神父們的一般說明，當時年輕的自己無論如何都不了解。不，即使現在，也還是不懂。在我的眼中——如果允許我有冒瀆的揣測——猶大本身是被利用來營造基督戲劇的人生和死在十字架上的光榮而設的可憐傀儡、玩偶！

「去吧！去做你所想做的！」現在，我對吉次郎說不出這樣的話，這當然是爲了保護自己，不過，也包含身爲司祭的希望和期待在內……我不希望他一再做出背叛的行爲。

「這裡的路很狹窄，不好走吧！」

「沒有河流嗎？」

我的喉嚨已經乾渴難耐。

吉次郎臉上浮現出淺笑，盯著我看。

「神父想喝水是嗎？一定是魚乾吃太多了。」

跟昨天一樣烏鴉仍在空中盤旋飛舞，我抬頭仰望天空，一道強烈的白光照射眼睛。我用舌頭舔嘴唇，後悔自己大意，只爲了貪吃一條魚乾而埋下無可挽回的錯誤。

找了一陣子池沼，徒勞無功。酷暑難耐的昆蟲叫聲在草原四處響起，微風中帶著潮濕的土味從海的那邊吹過來。

「沒有溪流嗎？」

「連山澗也看不到。你在這裡等等！」

不等我回答，吉次郎就走下斜坡。

當他的身影從岩石後面消失後，四周突然寂靜下來。草叢中小蟲發出乾渴的叫聲、磨擦著翅膀，一隻蜥蜴不安地爬上石塊，迅速逃走了。陽光下，我發覺蜥蜴偷瞄著我膽怯的臉孔，跟剛剛走掉的吉次郎一模一樣。

他眞的替我找水去呢？還是把我的行蹤向誰告密去了呢？

我拄著枴杖開始走，更覺喉嚨乾渴難耐，我突然醒悟，吉次郎是故意拿魚乾給我吃的。我想起這一幕：「不久，十字架上的基督說，我口渴；但是放在那裡的是裝滿醋的容器。」「士兵們用長莖的草刺起蘸了醋的海綿送到他嘴邊。」於是幻想中感到口裡有股醋味，有點想吐，我閉上眼睛。

遠處傳來嘶啞的聲音在找我。

「神父！神父！」

吉次郎提著竹筒，拖著疲憊的步子走過來。

「神父！你為什麼逃走了呢？」

這個男人像動物一樣，眼中含帶眼屎，悲傷地低頭看我。我一把搶過他遞出的竹筒，湊上嘴巴，也顧不得好不好看就猛灌起來。水從兩手間流出，沾濕膝蓋。

「為什麼要逃走呢？神父是否也不相信我呢？」

「你不要生氣。我太疲倦了。你讓我一個人走吧！」

「你一個人走？你要去哪裡呢？這裡很危險的，我知道天主教徒躲著的村莊。那裡有教會，還有神父。」

「有神父在？」

我不由得叫出來。沒想到這島上除了自己之外還有別的神父。我疑惑地抬頭看吉次郎。

「是的，神父，我聽說過。不是日本人。」

「不可能吧？」

「神父連我也不相信？」他仍站立著嚼著草葉，以微弱的聲音嘀咕著。「已經沒有人相信我。」

「不過，你卻因此獲救。茂吉和一藏都像石頭般沉入海底。」

「茂吉很堅強，就像我們種的長得碩壯的秧苗；可是，軟弱的秧苗無論再怎麼施肥都長不好，不會結稻穗。神父！像我天生是個懦弱的人，就跟這種秧苗一樣呀……」

他似乎從我這裡感受到嚴厲的譴責，眼光如挨了罵的狗，向後退縮。其實，我說他的話並無責難之意，我的心情是悲傷的。如吉次郎所說，世人並不只限於聖人和英雄。要不是生長在這遭受迫害的時代，不知有多少信徒根本不必棄教或捨棄生命，可以一直信守著幸福的信仰呢。他們只是平凡的信徒，最後被肉體的恐怖擊倒了。

「所以，我……哪裡都去不成，只有在這山裡頭打轉呀！神父……」

現在有一種憐憫的心情，慜在胸口。我要他跪下，吉次郎依言怯生生地像驢子屈膝跪到地上。

「你不想爲茂吉和一藏懺悔嗎？」

人，天生就有兩種，即強者和弱者；聖人和凡人；英雄和懦夫。然而，強者在這樣的迫害時代，能忍受因信仰而被火焚燒或沉入海底吧！可是，弱者就像吉次郎在山中流浪。你到底屬於何者？要不是因爲司祭的自尊和義務的觀念，或許我也跟吉次郎一樣踏了聖像。

「主，被釘在十字架。」

「主，被釘在十字架。」

「主，戴上荊棘的冠冕。」

「主，戴上荊棘的冠冕。」

吉次郎像小孩模仿母親說話，一一重複我細聲說的話。蜥蜴又在白色石頭上爬行，林中傳來如喘息的蟬聲，草叢的熱臭味從白石飄過來。我聽到幾個人的腳步聲從我們剛剛走過來的方向傳來。很快地，看到他們在草叢中，朝這邊快步走過來。

「神父！請原諒我！」吉次郎跪在地上，號啕大哭般地叫著。「我是弱者，我無法變成像茂吉和一藏那樣的強者。」

那些男人抓著我的身子，把我從地上提站起來，其中一人輕蔑地把幾個小銀子丟在還跪著的吉次郎眼前。

他們默默地把我往前推。在乾燥的路上，我踉蹌開始走。我回過一次頭來看時，出賣我的吉次郎小小的臉，那張有如蜥蜴般膽怯的眼睛的臉已經離得好遠……。

沉默

5

遠藤周作

村外的陽光很亮，村內卻很陰暗。他被帶進去時，茅草屋頂上壓著小石頭的「掘立小屋」①與小屋之間，衣衫襤褸的大人和小孩以閃亮的家畜般眼睛盯著這邊看。

他誤以為他們是信徒，臉頰上勉強擠出笑容，但無一人有反應。有一個光著身子的小孩搖搖晃晃地走到一行人前面，霎時，披頭散髮的母親從後面連滾帶爬地衝出來，一隻手挾起小孩，如狗般逃走。為了抗拒顫抖，司祭拼命地想著那一夜那個人從橄欖林被帶到卡爾法的事。

司祭一走出村莊，突然有一道耀眼的亮光照射到額頭。他感到眩暈，停下腳步。後面的男人不知嘀咕了什麼，推推他的身體。司祭勉強做出笑臉，說讓我休息一下吧！男人表情嚴肅，搖搖頭。陽光照射的田裡散佈著水肥臭味，雲雀快樂地歌唱著。不知名的大樹在路上投下淺淺的陰影，樹葉發出清爽的聲音。穿過田裡的路逐漸變窄，一到後山就看到入山的一邊小窪地上，有用小樹枝搭成的小屋。小屋的黑色影子清晰地落在黏土色的地面。四、五個穿著耕作服的男女手被縛著坐在地上。他們不知談論些什麼，看到一行人當中的司祭時，驚訝得嘴巴張得大大的。

警吏們帶著司祭從這些男女身旁經過，似乎任務已完成，露出笑容，開始閒聊起來，也沒有特別警戒，好像不擔心大家逃亡。司祭一坐下來，旁邊的四、五個男女恭敬地點頭打招呼。

他沉默了一陣子。一隻蒼蠅執拗地在臉旁飛來飛去，想舔從額頭流下的汗水，耳聽蒼蠅的嗡嗡聲，背上有溫暖的陽光，他逐漸有一種快感產生。另一方面，雖然他覺悟到自己終於被捕的事是無可動搖的事實，可是，四周是如此寧靜，又讓他產生這是否是錯覺的疑惑。不知爲什麼，他現在想起「安息日」這個詞。警吏們好像什麼事都沒發生過，還臉帶微笑地閒談。陽光明亮，照射在窪地的草叢和用小樹枝搭成的小屋。沒想到長久以來，在恐懼與不安交雜的幻想中描繪的被捕日，竟是這般寧靜，那時他有種不可言喻的不滿——他甚至對自己無法像許多殉教者或基督那樣成爲悲劇的英雄而感到幻滅。

「神父！」身旁單眼已瞎的男子搖動著被縛的手說：「怎麼會這樣？」其他的男女也一起抬起頭來，露出強烈的好奇心，等待著司祭回答。這些人像無知的動物，似乎不知自己即將來臨的命運。司祭回答他們是在山上被抓的，他們似乎還不懂，一個男子手放在耳朶旁又問了一次。好不容易聽懂了。

「哦！」

不約而同發出不知是了解或感動的嘆息。

「講得眞好！」一個女子欽佩司祭的日本話，像小孩似地叫了起來。「眞不錯！」警吏們只是笑著，並未加以斥責，也沒有制止。不僅如此，那個獨眼男子還親熱地向其中一個警吏搭訕，對方也還以笑容。

「他們，」司祭小聲地問女人：「現在在做什麼？」

女人說，警吏也是這村子的人，他們在等候官吏到來。

「我們是天主教徒，他們不是天主教徒，是佛教徒呀！」

從女人回答的語氣聽來，似乎不認爲兩者有很大的差別。

「吃吧！」

她移動被縛的手，從敞開的胸口掏出兩條越瓜，自己啃一條，另一根遞給司祭。一口咬下，口中滿是瓜味。司祭像老鼠般用前齒啃著瓜，心想自己到這國家之後，一直受到貧窮信徒的照顧，向他們要小屋住，要耕作服穿，要東西吃。現在，自己也應該回報他們些什麼。可是，除了自己的行爲和死亡之外，別無可奉獻之物。

「妳的名字是——」

「摩妮卡。」

女人羞怯地說出受洗的名字，宛如向人展示自己唯一的裝飾品，到底是怎樣的傳教士，把鼎鼎大名的聖奧古斯汀母親的名字給了這滿身魚腥味的女人呢？

「他呢？」

司祭用手指指還在跟警吏閒聊的獨眼男子。

「你是指茂左衛門？他叫裘旺。」

「替他洗禮的神父叫什麼名字？」

「不是神父，是修士石田先生，神父您不認識嗎？」

司祭搖搖頭。在這國家，他除了卡爾倍之外，連一個同事也沒有。

「你不認識啊？」女人驚訝地注視著他的臉，「就是在雲仙山上被殺的那一位呀！」

「大家都不在乎嗎？」司祭終於說出從剛才就縈繞心中的疑問。「不久之後，我們說不定也會死。」

女人低下頭，注視著腳邊的草叢。蒼蠅聞到他和女人的汗臭味，在頸旁飛來飛去。

「我不知道。石田先生常說到了天國就能享受永遠的安樂。那裡不必繳納苛酷的年貢，不必擔心飢餓和疾病，不必做苦役。我們已經做夠了！」她嘆了口氣。「在這世上就只有苦難。天國沒有這些東西嗎？神父？」

司祭想說天國並不像你們所想像的，不過他沒說出口。這些百姓們就像剛上主日學的小孩，腦中描繪的天國是沒有苛稅和苦役的另一個世界。誰也無權殘酷地打碎這個夢。

「是的！」他眨眨眼，在心裡說：「在那兒，我們什麼都不會被剝奪！」

然後，他又提出一個問題。

「妳認不認識叫費雷拉的神父？」

女人搖搖頭。跟友義村一樣，費雷拉老師是否也沒來過呢？他甚至有一個念頭：費雷拉這名字在日本的信徒當中是否成了不能說的禁語？

從窪地上傳來巨大聲響。司祭抬頭一看，崖上有一位矮胖的年老武士帶著兩個村民微笑著俯視這邊。司祭一眼看到年老武士的微笑，不知怎的，他馬上認出老人就是調查友義村的那個人。

「好熱呀！」武士揮著扇子慢慢地從崖上下來。「現在就這麼熱，耕作很累吧！」

摩妮卡、裘旺，以及其他的男女，把被綁的手腕放在膝上，恭敬地行禮。老人斜眼看跟大家一起低頭的司祭，走過他旁邊並未特別理睬。走過時，他的短外褂發出窸窣聲，衣服上的薰香四處飄散。

「這裡沒有驟雨，路上滿是灰塵。像我這樣的老人，走到這裡是挺吃力的。」

他在囚犯之間蹲下，用白色扇子不停在頸旁搧著。

「唉！不要給我老人增添麻煩啊！」

陽光把他堆著微笑的臉拉得扁平，司祭想起在澳門看過的佛像。那尊佛像的臉毫無表情，不像已看慣的基督的臉。只有蒼蠅嗡嗡地飛舞。看著蒼蠅掠過信徒們的脖子，飛到老人那邊，馬上又飛回來。

「你們一定要弄清楚呀！不是憎恨你們才逮捕你們；你們既未拖欠年貢，也認眞服勞役，怎麼會因憎恨而把你們綁起來呢？我很了解百姓是國家的根本。」

在蒼蠅的飛舞聲中夾雜著老人揮扇的聲音，遠處的雞啼聲隨著微風飄來。司祭和大家一樣低著頭，心想：是在這裡審問嗎？衆多的信徒和傳教士，在受到拷問或處刑之前，大家是否也聽過這種裝出來溫柔、體貼的聲音呢？是否也在靜得令人昏昏欲睡當中聽著蒼蠅的嗡嗡聲呢？他等待著恐懼突然來襲，但奇怪的是恐懼未從心中湧現。毫無拷問或死亡的眞實感。他想著今後的事就像雨天期盼著陽光普照的遠處山丘。

「我給你們一些時間思考，希望你們要答得明理！」

話才一說完，老人硬裝出來的笑容隨即消失不見。緊接著，他臉上出現的是跟澳門的中國商人一樣貪婪而傲慢的表情。

「過來！」

警吏從草叢站起來催促大家。老人像猴子般蹙眉看著和大家一起想站起來的司祭。他眼中已露出憎惡的眼光。

「你，」他盡力想把矮小的個子伸長，雙手按在刀柄上說：「留下來！」

司祭露出淺笑，又往草叢坐下。老人在囚犯面前不想輸給外國人，裝腔作勢的心情從他像公雞般向小身體後仰的動作就一目瞭然。（猴子。）他在心中嘀咕著。（像猴子的男人呀！不必緊張兮兮地手按在刀上！我不會逃走的。）

他目送著手被綁著登上山崖向對面台地消失的一行人的背影。Hoc Passionis tempore, Pisadauge gratiam 以乾燥的嘴唇所說的禱告詞帶有苦味。他在心中祈禱著：主啊！不要再給他們試煉了。對他們來說，這已經太重了。他們一直忍耐到今天——年貢、苦役、悲慘的生活。還要再給他們試煉嗎？老人把竹筒放在嘴上，像雞在喝水，喉嚨裡發出聲音。

「我見過神父好幾次，也審問過神父。」他濡濕嘴唇，以跟剛才不同的、卑屈的聲音問司祭。「你聽得懂我的話嗎？」

一小塊雲朵遮住太陽，陰影一落到窪地，一直靜止的小蟲開始從草叢裡發出酷暑難耐的叫聲，此起彼落。

「百姓們是不幸的，他們能否得救，神父啊！就看你的了。」

司祭不懂這句話的意思，從對方的表情可以感覺到這個狡猾的老人正在設陷阱讓自己掉進去。

「百姓的腦筋沒什麼思考能力。跟他們再怎麼談，最後意見總是不一致。這時候就要你說句話了。」

「說什麼呢？」

「棄教！」老人搖著扇子笑著說。「棄教！」

「我要是拒絕，」司祭微笑著靜靜地問：「是否就殺了我？」

「不！不！」老人悲傷地說：「我們不做那種事。要是那樣做，那些百姓會更冥頑不靈。大村的情形如此，長崎的情況也是這樣。天主教徒實在很麻煩。」

老人深深地嘆口氣，看得出來他在演戲。諷刺這像小猴子的老人，司祭甚至有種快感產生。

「如果你是眞的司祭……對百姓會有慈悲心吧？」

司祭嘴角不由得泛出笑意，多麼天眞的老人啊！想以小孩般的理論說服我。但是，他忘了單純得像小孩官吏，辯不過對方時只會惱羞成怒。

「怎麼樣？」

「只處罰我吧！」司祭譏笑對方似地聳聳肩。

老人的額頭上浮現出焦躁的憤怒；陰暗的遠處天空，傳來低沉的雷聲。

「就因為你的緣故，他們要受很大的苦。」

司祭被關進窪地的小屋裡。從牆壁——裸露在地面上，用小樹枝做成的——的縫隙，陽光像一條線般瀉入。牆外隱約聽到警吏們的說話聲。那些百姓被帶到哪裡去了呢？自從被帶走之後就沒再見到他們。他坐在地上，用手合抱膝蓋，想著叫摩妮卡的女人和獨眼的男人。還有友義村的阿松和一藏、茂吉他們，如果還有一些餘裕，自己至少應該為那些信徒們做簡短的祝福。沒想到這些，也就證明精神上不夠從容。自己忘了問那些傢伙今天是幾月幾日，覺得非常惋惜。來到這國家之後時間的觀念完全消失了，因此也計算不出復活節之後，經過多少日子的今天，到底是哪位聖哲的紀念日。

由於沒有念珠，司祭就用五根手指頭，用拉丁語開始唱天使禱詞和主禱文；像水從牙關緊閉的病人口中流出，祈禱聲也只空洞地擦過嘴唇，他的注意力反而被小屋外看守的談話聲吸引。看守不知有何可笑的事，不時發出笑聲。不知怎的，司祭想起在庭院中烤火的僕人；想起在耶路撒冷的晚上，幾個人對某個男人的命運毫不關心，把手伸到暗淡的火焰上烤。這些看守雖然也是人，可是對別人居然這般漠不關心——他們的談天、說笑聲令人產生這種感覺。罪，並不是一般人所想像的，如盜竊、說謊。所謂罪，是指一個人通過另一個人的人生，卻忘了留在那裡的雪泥鴻爪。他扳動手指唸著 Nakis；這時禱告才沁入他心中。

突然有道白光照射在緊閉的眼簾，一個男子輕輕打開小屋的門，沒發生任何聲響；他小而陰險的眼睛一直盯著裡頭瞧。司祭一抬起頭，對方馬上藏起身子。

「很安靜吧！」

另一個男子對正往這邊瞧的官吏說。門開了，光線如水般瀉入，在那道亮光之中，跟剛才年老的武士不一樣，一個沒帶刀的日本人站在那兒。

「Senõr, Gracia」

男子說葡萄牙語。發音怪怪的，並不流暢，不過，他說的的確是葡萄牙語。

「Senõr」

「Palazera à Dios nuestro Senõr」

司祭因從門口照射到眼睛的光線，稍感暈眩；他聽著這些話，有些地方雖然講錯了，不過意思很明確。

「你可能嚇了一跳吧?其實，跟我一樣的通譯員，在長崎和平戶還有幾個呢。神父的日本話相當不錯。不過，你知道我在哪裡學葡萄牙語嗎?」

沒人問，他自己就喋喋不休地說起來了。他說話的時候，跟剛才的武士一樣頻頻揮動扇子。

「託貴國神父的福，在有馬、天草、大村都成立了神學院。不過，我可不是棄教者。雖然也受過洗，但本來就無意當修道士或天主教徒。身爲地方武士的兒子，在這種時代，要想出人頭地，就只有靠學問了。」

男子拚命地強調自己不是天主教徒。司祭無特別表情，在昏暗中聽對方不停地講。

「爲什麼不出聲呢?」男子生氣地說：「神父們一直瞧不起我們日本人。我認識名叫卡普拉爾的神父，他特別輕視我們。儘管人都來到了日本，還嘲笑我們的房子，嘲笑我們的語言，嘲笑我們的食物和習慣。而且，縱使我們讀完神學院的課程，也絕不允許我們當神父。」

他說著說著，想起了種種往事，情緒似乎越來越激動。司祭雙手抱膝，認爲這個男人的憤怒並非虛假。還記得從澳門的威利也諾老師那兒聽過有關卡普拉爾神父的事。由於他對日本人的看法，不知有多少信徒脫離傳教士或教會而去，威利也諾老師對這件事也大爲感嘆。

「我跟卡普拉爾不一樣。」

「真的嗎？」男子低聲笑了。「我並不這麼認爲。」

「怎麼說？」

在昏暗中，看不清這位通譯的表情。雖然看不清，司祭卻想從對方低沉的笑聲，去推測他憎恨、憤怒的背景。因爲，在教會的告解室中閉上眼睛聽信徒的告白是他的工作。（這個男子想否定的，）他望著對方，茫然地想。（並不是卡普拉爾神父，而是曾受過洗禮的自己的過去吧！）

「不想到外面去嗎？事到如今，身爲神父不會逃走吧！」

「是嗎？」司祭微笑著，「我不是聖人，我害怕死亡。」

日本人也笑出聲來。

「是嘛！是嘛！既然能了解這樣的道理，希望也能聽聽我的意見。勇氣有時也會給別人添麻煩。我們稱它爲盲目之勇。神父當中，有許多人被這種盲目之勇迷惑，忘了會給日本增添麻煩。」

「傳教士們眞的只增添麻煩嗎？」

「自己不想要的東西硬塞給人，就叫作強迫送禮。天主教跟這種強迫送禮的禮品非常相似。我們有我們的宗教，我們不想接受外國的宗教。我在神學院也向神父們學習智識，結果呢？現在一點用處也沒有。」

「我們的想法並不相同。」司祭放低聲音平靜地說。「否則，也不用飄洋過海到這個國家來了。」

這是他跟日本人的第一次討論。自從方濟・薩比耶爾以來，多數的神父是否也從這樣的針鋒相對開始和日本佛教徒討論起來呢？威利也諾神父曾說，不可輕視日本人的頭腦，他們懂得辯論的方法。

「既然如此，我請教您，」通譯把扇子一張一闔，咄咄逼人地說。「天主教徒們都說上帝才是大慈大悲的泉源，是一切善與德的泉源，神佛皆是人，因此他們未具備德義，神父您的看法是否相同呢？」

「佛也跟我們一樣無法避免一死。這跟創造主是不同的。」

「要是不懂得佛教教義的神父，就會有這種想法，其實，諸佛未必皆爲人。諸佛有法身、報身、應化②三身，應化之如來爲救衆生，給予利益之方便，於是顯八相；而法身之如來是無始無終、永久不變之佛，因此經中常說如來常常住，無變易。認爲諸佛皆人的只有神父和天主教徒，我們並不這麼認爲。」

這日本人宛如已將答案背下來似的，一口氣說完。很可能以前從對各色各樣傳教士的審問、調查當中，一直都在研究如何讓對方屈服。因此，他選了一些自己幾乎都不了解的艱深詞彙。

「你們認爲萬物是自然存在，世界也無始終。」司祭針對對方的弱點準備反擊。

「你這麼認爲吧？」

「沒錯！」

「可是，無生命之物，若非他物使之移動，自己無法移動。諸佛又如何產生呢？再者，諸佛具慈悲心，這我懂，可是，在這之前世界是如何被創造出來的呢？我們的上帝創造了自己，創造了人類，給予萬物存在。」

「那麼，你是說天主教的上帝也創造了惡人囉？這麼說，惡也是上帝造的孽。」

通譯擺出勝利者的姿態，小聲地笑了。

「不！不！不是這樣。」司祭不由得搖搖頭，「上帝造萬物以爲善。爲了善，也授予人類智慧。但是，我們有時會做出和這智慧判斷相反的事。這就是惡。」

通譯發出輕蔑的一聲：「呸！」而司祭仍是司祭，他並不認爲自己的說明已經說服對方。這樣的對話，已經不是對話了，而是抓住對方的語病想把對方駁倒。

「不要再詭辯了，百姓、女人、小孩或許會被你的解釋弄糊塗，而我是不會的。好！現在我提一個問題：如果上帝具有慈悲心，爲什麼在到天國的路上，給予各種痛苦或困難呢？」

「各種痛苦？你可能誤解了。如果人能照著上帝的旨意去做，可以平安度日。我們想吃東西時，上帝絕不會命令我們餓死吧！只要向創造主的上帝禱告，能做到這一點就行了。再者，我們無法捨棄肉體的慾望，上帝也並未強迫我們遠離女人，只是，祂說，娶一個女人，遵行上帝的旨意。」

說完時，司祭認爲這次回答得不錯，在昏暗的小屋中，他確實感到通譯一時之間不知如何回答，靜默著。

「夠了！再說下去也不會有結果的。」對方有點不高興地用日本話說：「我不是爲了討論這些而來的。」

雞在遠處啼叫。微開的門縫有一道陽光瀉入，無數的塵埃在光線中浮遊。司祭一直注視著它。通譯長長地嘆了一口氣。

「你要是不棄教，百姓們就會被吊在洞穴中。」

司祭不了解對方在說什麼。

「把百姓倒吊在深的洞穴中幾日……」

「吊在洞穴中？」

「是呀！神父要是不棄教的話。」

司祭沒出聲。他爲了查探對方的話只是在威脅或當眞，在昏暗中一直監視著。

「井上大人，你聽說過吧？就是那位『奉行』。總之，神父也會受到這位大人直接的調查。」

井上（i, no, u, e）這名字在通譯的葡萄牙語中，好像活的東西鑽入司祭耳中，他的身體震顫了一下。

「到目前爲止，在井上大人的審問下棄教的神父有，」通譯模仿著奉行的聲音說：

「波魯洛神父、赫特洛神父、卡索拉神父、費雷拉神父。」

「費雷拉神父？」

「你認識他？」

「不！我不認識。」司祭猛搖頭。「所屬的教會不同，沒聽過這名字，人也沒見過。那個神父現在還活著嗎？」

「當然還活著，名字也改得像日本人了，住在長崎，他娶了女人，身分還蠻高的呢！」

司祭眼前突然浮現出從未見過的長崎街道。不知爲什麼在幻想的街道上，道路交錯，紅紅的夕陽照射在小屋的小窗。而穿著和這位通譯同樣衣服的費雷拉老師走在路上。不！這是不可能的。這樣的幻想實在很滑稽！

「我不相信！」

通譯嘲笑著走出小屋。門又被關上，瀉入的白光突然消失了。跟剛才一樣，聽到隔壁看守的談話聲。

「相當機伶，」通譯向他們說明。「不過，不久會棄教的。」

司祭心想他們說的棄教指的是自己。手抱著膝蓋，心中思索著剛才通譯背誦似地說出口的四個人的名字。他不認識波魯洛神父、赫特洛神父，卡索拉神父這個人，他則在澳門聽說過。應該是那位跟自己不一樣，不是從澳門，而是從西班牙屬地馬尼拉潛入日本的葡萄牙司祭。潛入日本之後就消息杳然，耶穌會還以爲他登陸之後就壯烈殉教了。在他們三人背後，有著自己到日本之後一直探聽著費雷拉老師的容顏，如果通譯的話不是威脅，那麼，費雷拉老師如謠傳在名叫井上的奉行手中，背叛了教會。

連那個人都棄教了，即將來臨的試煉，或許自己會受不了——這種不安突然襲上心頭。他猛搖頭，努力想把這如嘔吐般湧上來的不愉快念頭壓制下去；可是，越努力想壓制下去，那念頭卻與意志無關越往上浮。

Exaudi nos, Pater omnipoténs et mittere digneris Sanctum qui custodiat fovéat protegat, visitet taque defaendat omnes habitantes……他一遍又一遍地祈禱，想排遣不舒服的心情，但祈禱仍然無法使心情平靜。主啊！你爲何沉默呢？你爲何一直沉默著呢？他嘀咕著……

傍晚，門又開了。值班的人把盛著幾塊南瓜的木碗放在他面前，一聲不響地走出小屋。他拿到嘴旁，一股類似汗臭的味道衝鼻而來，可能是兩三天前煮的吧！可是飢餓難耐，連皮都吃下去了。一口還沒咬到底時，蒼蠅就開始在手邊飛繞不去。司祭舔著手指，心想自己現在是否跟狗一樣？從前這個國家的藩主或武士常邀請傳教士到家中吃飯，聽威利也諾老師說：那時候，在平戶、橫瀨浦、福田港口，有葡萄牙船運載豐富的船貨定期入港，因此，傳教士們的葡萄酒和麵包並不虞匱乏。他們都在乾淨的餐桌上祈禱，然後慢慢地用餐吧！然而，現在的自己，連祈禱也給忘了，像狗一樣撲向食物。祈禱時不是爲了感謝神，而是爲了求神援助或是爲了發洩不滿與怨恨。這對司祭而言是可恥的！他當然深深了解神是爲了受讚美而存在，不是因怨恨存在；儘管如此，在這樣的試煉日子裡，像約伯那樣得了痲瘋病還讚美神，是多麼困難啊！

門又吱卡地被打開，剛才那看守進來了。

「神父，該走了！」

「去哪裡？」

「去碼頭。」

司祭一站起來，因空腹而感到輕微的暈眩。小屋外頭已陰暗，窪地的樹木因白天的燠熱似乎已筋疲力盡，垂頭喪氣。蚊群掠過臉上，蛙聲從遠處傳來。

三個看守在旁邊跟著他，但無人提防他逃走。他們大聲地交談，還不時發出笑聲。其中有一個人離開行列，到草叢裡小便。司祭突然想，現在，要是推倒剩下的這兩個，一定可以逃走。才有這個念頭，走在前面的看守，突然回過頭來。

「神父，在那間小屋不好受吧！」他善良的臉上帶著笑意。「很熱吧！」

他善良的笑臉卻馬上讓司祭洩氣。自己如果逃走，受罰的一定是這些百姓。他軟弱地做出微笑，對那百姓點點頭。

他們走過今早的來時路。司祭凹陷的眼睛注視著，聳立在蛙聲響滿耳的稻田正中央的大樹。他對這棵樹還有印象。烏鴉群在樹上拍打著翅膀嘎嘎的啼叫聲，和蛙聲交織著，構成悲愴的合唱曲。

一走入村莊，家家戶戶白煙裊裊，這是用來驅逐蚊群的。僅繫著一條兜襠布的男子，抱著小孩站在那裡。他一看到司祭，像傻瓜般咧嘴而笑。女人悲哀地微低下頭注視著四個人通過。

通過村莊，緊接著是田地。路變成下坡，海風吹過司祭肌肉消失的臉頰。正下方雖說是港口，卻只有一座用黑色的小石頭堆成的碼頭，海邊繫著兩艘孤立無援的小舟。在看守的人把原木並排到舟下時，司祭從沙中撿起桃色貝殼在手中把玩。那是今天一整天，他第一次看到的美麗東西。把貝殼拿到耳旁，聽到裡面有輕微的聲響傳出。突然，他湧起一股陰暗的衝動，貝殼噗地一聲在他手掌中被揑碎了。

「上舟吧！」

舟底的積水因灰塵而變白，腫脹的腳一伸入，感覺奇冷。腳浸在水中，兩手扶著舟緣，閉上眼睛，司祭嘆了一口氣。

小舟緩緩移動時，他用凹陷的眼睛茫然注視著到今早爲止自己流浪的地方。暮靄中，山色渾黑，形狀宛如女人突起的胸部。司祭的視線移回沙灘，看到有一個像乞丐打扮的男人奔跑著。他邊跑邊叫，腳被沙絆住，倒下去了！那是出賣自己的男人！

吉次郎倒下去又站起來，大聲地不知叫什麼。聽來像叫罵聲，又像哭泣聲，司祭不知他到底在叫什麼。很奇怪，並無怨恨的心情，遲早會被逮捕的情緒充塞胸中。吉次郎好不容易知道追趕不上，直直地呆立在漲潮線上朝這邊看。暮靄中，他的身影逐漸變小。

晚上，小舟划入某個港灣。已睡著的他微微睜開眼睛，看到剛才的看守在那裡下舟，其餘三個男人上舟來。他們用混濁的當地話和看守交談。已經疲憊不堪的他，不想費心去聽他們講的日本話，只從他們談話中聽到長崎啦、大村啦，茫然地想，或許自己會被帶至長崎或大村。被關在小屋時，還有力氣替同樣被縛的獨眼男子和送越瓜給自己的女人祈禱，然而，現在不要說爲別人，連爲自己祈禱的氣力都沒有。甚至覺得不管被帶到哪裡，今後無論遭遇到何等命運，都沒有什麼兩樣。他閉上眼睛，又睡著了，有時睜開眼睛，只聽到單調的划槳聲。一個男人划槳，其他兩個表情陰險，默默地蹲著。他像夢囈般小聲祈禱著：主啊！一切按照祢的旨意做吧！可是，現在自己的情緒，表面上和衆多的聖人志願把自己交付給神非常相似，其實，本質上是不同的。腦中有一個聲音響著：你該怎麼辦才好呢？你的信仰已逐漸喪失。然而，現在連聽到這聲音都覺得痛苦。

「這是哪裡？」

不知是第幾次醒過來時，他以嘶啞的聲音問三個新的看守，但是，對方似乎很畏怯，身體僵直沒有回答。

「這是哪裡？」

又一次大聲地問。

「橫瀨浦！」

其中一人羞怯地小聲回答。橫瀨浦，從威利也諾老師那兒聽過這個地名好幾次。這是佛洛依斯神父和阿爾梅特神父們取得附近藩主的許可而開闢的海港！從此，以往只到平戶的葡萄牙船就都停泊到這個港口。山丘上有耶穌會的會堂，神父們在那山丘上豎了一個大十字架。那十字架大到在傳教士尚需幾天行程才能到達日本的遙遠海上，從船上就看得清楚。聽說復活節那天，日本居民們每人手裡拿著蠟燭，邊走邊唱歌，到山丘上參拜。連藩主也常到這裡來，沒多久，也接受洗禮了。

司祭從舟上尋找像橫瀨浦的村子或港口，但是，海上陸地一片漆黑，連燈光都不見一盞。看不出村莊、屋宇在那裡。說不定這裡也跟友義、五島部落一樣有信徒偷偷潛伏著。他們可知道，現在在海上划行的這小舟中，有一個司祭像野狗般蹲下正顫抖著呢。司祭問看守橫瀨浦在哪裡，遲疑了一陣子，划槳的男人才回答。「什麼也沒有了。」

他說村子被燒毀，以前住在那裡的人全部被趕走了。除了波浪打在小舟發出低沉的聲音之外，海上、陸上都沉默如死。司祭聲音微弱地說，祢為何拋下一切呢？連我們為祢建立的村莊，祢為何也任它燒毀呢？人們被驅逐時，祢沒有給他們勇氣，只有像這黑暗般沉默著。為什麼？至少請告訴我理由。我們並不像在祢試煉下患痲瘋病的約伯那般堅強。約伯是聖人，而信徒們只不過是軟弱的凡人罷了，不是嗎？忍耐試煉也有限度。請不要給我們更大的痛苦，司祭這麼祈禱著；可是，海仍然冷冷的；黑暗依舊頑固地繼續保持沉默。聽得到的只是，單調而不停反覆著划槳聲而已！

我是否不行了？司祭身體顫抖地心想：如果聖寵再不給自己勇氣和氣力，就忍耐不下去了。划槳聲嘎然而止，一個男人朝著大海叫道：

「是誰呀？」

這邊的槳已停，同樣的划槳聲不知從哪裡傳來？

「可能是夜釣的人吧！不要理它，不要理它。」

一直沉默不語的兩個男人當中，年紀較大的說：

「是誰呀？在做什麼？」

夜釣的人划槳聲停止，聽到微弱的聲音回答。司祭覺得那聲音好耳熟，卻又想不起來究竟在哪裡聽過？

清晨，到達大村。乳白色的晨霧逐漸被風吹散後，在陸地的一角，森林環繞的白色城堡的牆壁映入疲憊不堪的眼中，城堡似乎尚在施工中，還留有圓木搭成的鷹架。成群的烏鴉從森林上面飛過。城堡背後，密密麻麻的茅草屋頂和稻草屋頂的屋子擠在一起。這是司祭第一次看到的城市模樣。

等到四周泛白之後才發現，小舟上的三個看守，每人腳邊都放著粗大木棍。顯然只要司祭有逃亡企圖，就會毫不客氣地把他丟入大海。

碼頭上早就擠滿了穿著短袖和服、佩著大刀的武士和看熱鬧的人群。在武士的斥喝下，看熱鬧的人群在海濱的小丘上，或站、或坐，耐心地等待著小舟到來。司祭一走下小舟，他們就喧嚷起來。他在武士的監視下走過人群，看到幾對男女以痛苦的眼神注視著自己。他沒吭聲，對方的臉也沒有特別的表情。司祭走過他們前面時，輕輕揮手做出道別的手勢。那時，有幾張不安的臉突然垂下，甚至還有避開視線的。本來，他現在應該把那象徵聖體的小麵包放入緊閉的口中，可是，現在的他，沒有彌撒用的聖杯，也沒有葡萄酒、祭壇。

當司祭騎上無鞍的馬上，手腕被繩子綁住時，群眾中響起一陣嘲笑聲。大村雖說是城市，卻也淨是茅草屋，跟以往見過的村落無二樣。不過，有留著長髮、穿著短袖和服、腰間打褶的光腳女人，把魚貝、蔬菜、木柴擺在路旁，她們並排站著。人群中琵琶法師和穿著黑衣服的和尚仰起頭罵他。道路狹長，有時小孩丟的小石頭掠過他的臉上。如果威利也諾神父的話無誤，這個大村是傳教士最用心傳教的地方。建了許多聖堂、神學院，連武士和百姓都「熱心聽道理」——如佛洛依斯神父信中描述的城市。聽說連藩主都是熱心的信徒，他的族人幾乎都信了天主教。可是，現在小孩子丟石頭，和尚吐口水、破口大罵，而護衛的武士們無嚇阻之意。

街道沿著海，通向長崎。經過名叫鈴田的部落時，有一戶農家家中開滿不知名的白花。武士們停下馬，命令徒步跟隨的一個男人去拿水來，只給司祭喝一次。可是，水從嘴裡流出，只沾濕他瘦削的胸部。

「你看！傻大個兒。」

女人們拉著小孩的袖子，嘲笑他。當一行人又緩慢開始前進時，他回過頭來。突然興起一股悲緒；或許自己再也看不到那開著白花的樹木了。脫下「烏帽子」③擦著汗的武士們，每人都蓄著「茶筅髮」④，腿部裸露騎在馬背上，後面五、六個帶弓的警吏跟隨，吱吱喳喳地交談著。走過彎曲的街道，在那街道上，司祭看到一個乞丐拄著枴杖跟隨在後，是吉次郎！像在海濱張大嘴巴、目送著小舟離去時那樣，現在他仍然衣冠不整、敞開胸前。發現司祭往自己這邊看時，他慌忙躲到旁邊的樹後。司祭無法了解出賣自己的男人爲何追到這裡來。但是，突然有個念頭掠過司祭心中：昨晚在海上划小舟的人，可能就是吉次郎！

他在馬上搖晃，不時以凹陷的眼睛茫然地看著大海。大海，今天陰沉地發出黑色亮光，水平線上露出灰色的大島，可是，他不確定那是否就是到昨天爲止他流浪的島嶼？經過鈴田之後，街道上過往行人逐漸增加。以牛載貨的商人，戴深斗笠、穿裙褲、打綁腿的旅人，作簑笠打扮的男人，以及穿「被衣」⑤、戴「市女笠」⑥的女子，發現到這隊伍，都驚慌地站立在路旁，好像碰見怪物，出神地瞪著。田裡，百姓丟下鋤頭一窩蜂地跑過來。以前對這些日本人的服裝和打扮很感興趣，但是現在疲憊得毫無興趣了。他閉上眼睛，把修道院傍晚才做的「十字架的道路」禱告，蠕動乾燥的舌頭一個字一個字地唸著。只要是神職人員或信徒，都知道那是使人憶起基督受難時痛苦的禱告。祂背負著十字架走出神殿之門，一步一步、搖搖晃晃地朝通往克爾果達的斜坡路上走的時候，衆多的群衆，由於好奇心的驅使跟在後面。「耶路撒冷的女人呀！請勿爲我哭泣！爲自己和孩子哭泣吧！日子馬上來臨。」司祭還記得這經句。司祭認爲十幾世紀前，祂也以乾渴的舌頭嘗過像今天自己感受到的一切悲哀。這種情感的交流比任何甘泉更能滋潤他的心田，打動他的心。

Pange lingua（歌唱吧！我的舌頭。）他在馬背上感覺到眼淚沿著雙頰流下。Bella Premunt hostilia, Da robur, fer auxilium……無論如何都不棄教！

過午時刻，經過名叫諫早的城市。這裡，有大濠溝和圍牆環繞的豪邸，座落在四周都是稻草或茅草屋的中央。來到一戶人家前面時，佩刀的男人們向隊伍中的武士致意，抬來了兩大飯桶的飯。武士們吃糯米小豆蒸飯時，司祭才被從馬上放下來，像狗一樣被繫在樹下。附近披頭散髮的乞丐們，或坐、或蹲，像動物發亮的眼睛一直盯著他看。現在連回他們微笑的力氣都沒有。不知是誰把裝著小米乾飯的破籃子放在他前面。心不在焉地抬起頭來一看，原來是吉次郎！

吉次郎也一樣蹲在非人⑦們的旁邊，不時轉過眼來打量這邊的情形。當視線交會時，慌忙把臉轉過去。司祭以嚴厲的表情看他的臉。在海邊看到時，疲倦得連憎恨這個男人的力氣都沒有，現在，卻無論如何都無法寬恕他。在草原上被捉弄吃魚乾之後喉嚨乾渴的感覺，以及沸騰的思緒突然一起在他心中甦醒。連基督都對背叛自己的猶大拋下「去吧！去做你想要做的事！」這種憤怒的話。這句話的意義，長久以來在司祭心中，一直認爲是和基督的愛相矛盾的，不過，現在看到這個蹲著的男人露出如挨了揍的狗的畏怯表情，一股陰暗而殘酷的感情從體內湧起。他在心裡罵道：「去吧！去做你想要做的事！」

吃完蒸飯的武士們，又跨上馬。司祭也被迫上馬，一行人又開始緩緩地前進。司祭又遭到和尚臭罵，和小孩扔石頭。用牛載貨的男人和穿裙褲的旅人們驚訝地抬頭看武士，凝視著司祭。一切都和剛才一樣，回過頭來一看，吉次郎拄著枴杖跟在隊伍後面。司祭在心中說：「去吧！去吧！」

譯註

①地下未置礎石，把木頭直接埋入土中建成的房屋。
②人相分爲威、厚、清、右、孤、薄、惡、俗八相。
③古時候的日本的武士、貴族，以及現在的神社神職人士戴的古式禮帽。

④男女髮型之一，結成小圓竹刷似的形狀。

⑤古時候的日本婦女外出時，穿著把頭部都罩在內的單外大衣。

⑥市女即賣東西的女人，本爲市女所戴菅草笠；江戶時代以檜木板編成笠架，糊上紙，塗黑。

⑦江戶時期，幕藩體制下最下層之民衆，不准從事生產工作，只從事監獄、刑場等雜役。

沉默

6

遠藤周作

天空陰暗，雲緩緩飄向御仙岳山頂，朝廣闊的原野而去，那是名叫千束野的曠野，灌木像在地上爬行，東一叢西一簇，此外就是無盡頭的黑褐色地面。武士們彼此商量之後，命令警吏把司祭從無鞍的馬上放下來。由於兩手被縛長時間騎在馬背上，站到地面時感到大腿內側疼痛，就地蹲了下來。

其中的一個武士拿出長煙斗抽煙。這是司祭在日本第一次看到的煙草。這武士吸了兩、三口之後尖著嘴巴吐出煙，然後把煙斗遞給同事；在他們輪流抽吸之間，警吏們以羨慕的眼光一直注視著。

有很長一段時間，大家或站、或坐在岩石上，皆往南方眺望。也有人在岩石後面小解。北方的天空還有晴朗的部分，南方黃昏的雲層已逐漸重疊。司祭有時看看剛剛走過的街道，不知吉次郎在哪裡慢了下來，已不見影子。一定是途中放棄追趕返回了。

沒多久，看守們指著南方叫道：來了！來了！跟這邊一樣，武士和徒步的男人們從南方緩緩接近。抽著煙斗的武士立刻跨上馬，全速迎向那群人。彼此在馬上點頭、問候。司祭知道自己在這兒交給新的一隊人馬。

商量好之後，從大村護送自己來的那群人調轉馬頭往陽光照耀的北方街道而去。之後，司祭又被從長崎來接他的人包圍起來，再度被迫騎上無鞍馬。

牢房位在雜樹林環繞的丘陵斜坡上。看來是剛建好的新倉庫式房子，內側長三

kuwatoru、寬四 kuwatoru、天花板高二 kuwatoru。光線能夠照射進去的地方，就只有小小的格子窗，以及僅容一塊盤子送入、還裝有木板蓋子的小洞，一天一餐的伙食就從這裡送進來。剛到這裡時和兩次受調查時，司祭觀察了牢房的外側。外側有竹茅朝內並排的柵欄，戒備森嚴；更外邊有看守住的茅草平房。

司祭被關進來時，沒有別的囚犯。一整天，如同在那座島的小屋中，一直在黑暗裡靜坐，聽看守的談話，看守有時爲了消磨無聊時光會向他搭訕。他們告訴他這裡是長崎的郊區，至於在市中心的哪一方向就不得而知了。不過，從白天聽到的清晰腳步聲，以及遠處傳來的削木頭聲、釘釘子聲等可推測得到這附近是新開闢的地方。入夜後，山鳩的啼叫聲從雜樹林中傳來。

儘管如此，這牢房卻有一種不可思議的安詳和靜謐。在山中流浪的不安與焦躁，彷彿已是遙遠的往事。儘管明天的命運無法預料，卻沒有任何不安。向看守要了強韌的日本絲和繩子，做成念珠，整天都靠著祈禱或唸聖經的句子度過。晚上，躺在床上，閉上眼睛，一邊聽著在雜樹林中啼叫的山鳩聲，腦海裡描繪著基督一輩子的每一幕。對他而言，基督的臉從孩提時代起就是一切夢和理想寄託所在。在山上向群眾說教的基督的臉；在加列利麗湖度過黃昏時刻的基督的臉，祂的臉甚至受到拷打審問時也漂亮如常。溫柔，而能沁入人心深處的清澄眼睛一直注視著自己。那是一張誰都無法侵犯、不能侮辱的臉！想到這裡，宛如小波細浪在海濱靜靜地爲沙吸去似地，所有的不安、恐懼似乎都被吸走了。

每天過著到日本之後第一次體會到的靜謐日子。司祭想到持續著這種日子，不也證明自己距離死亡已不遠了嗎？可以見得這些日子是多麼安靜、溫和地從他心中流過。第九天，司祭突然被拉到外邊來。由於長時期在暗無天日的牢房裡度過，感到陽光如利刃般刺入凹陷的眼中。雜樹林中，蟬聲如瀑，看守的小屋後面盛開的紅花映入眼中。現在才發覺到自己頭髮和鬍鬚已長得像個浪人，屁股的肌肉消瘦，手臂細如鐵絲。還以爲會被帶去審問，哪知被帶到看守的小屋，被推入用木格子圍起來的地板房間。司祭不知道自己爲什麼會被移到這裡來。

第二天他才知道原因；突然，看守的怒吼聲劃破了四周的沉寂，傳來幾個男女被從牢門趕到內庭的雜亂腳步聲。他們被關入到昨天爲止自己被關的那間黑漆漆的牢房。

「再不乖乖聽話，我可要揍人了！」

看守大聲斥喝；囚犯們反抗著。

「我們要鬧，要鬧得更兇。」

看守和囚犯之間起一陣子爭吵，但沒多久，就平靜下來了。傍晚，從牢房傳出他們祈禱的聲音。

我們在天的父！願你的名被尊為聖，

願你的國來臨，願你的旨意承行於地，如在天上一樣！
我們的日用糧，求你今天賜給我們；
寬免我們的罪債，猶如我們也寬免得罪我們的人；
不要讓我們陷入誘惑，但救我們免於凶惡。

夕靄中，那些男女的聲音有如噴泉往上噴，之後，消失了。在他們唱和著「不要讓我們陷入誘惑」的聲音中，混合著一種悲傷的呻吟調子，司祭一邊眨著凹陷的眼睛，嘴唇也附和著他們一閉一闔。祢一直都保持沉默；但祢不可能一直沉默著！

翌日，司祭問看守可否探望那些囚犯？囚犯們在嚴厲的監視下，現在正在中庭開闢耕地。

司祭一到中庭，無力地揮動著鋤頭的五、六個男女很訝異地轉過頭來。司祭對他們還有印象，也還記得褪了色、襤褸的工作服。只是，朝這邊轉過頭來時，他看見他們可能長期被關在暗無天日的牢房，男人的頭髮和鬍鬚都很長，女人的臉色蒼白。

「唉呀……」其中的一個女人叫著。「是神父啊……我們都沒認出來！」

她就是那天從胸口掏出越瓜給司祭的女人。她的旁邊，像乞丐的獨眼男子親切地笑著，露出排列不齊的黃牙。

從那天起，他取得看守的許可，每天早上和黃昏兩次到這些信徒的牢房裡去。那時候，看守們寬大，知道信徒們絕不會胡來。沒有葡萄酒和麵包不能舉行彌撒；不過，司祭和信徒們一起禱告，聽他們懺悔。

你們不要倚靠塵土的君主，不要倚靠富人和他人的孩子，他毫無幫助的能力。最後，他的氣一斷就回歸塵土。等待著那一天，而依賴他們的，最後都將失望，仰望上帝，以祂為依靠的人有福了。

他對囚犯們一字一字地唸出舊約的句子，大家都傾聽，連咳嗽聲也沒一個。看守也默默地聽著。以前不經心地讀過的這些聖經句子，從未像現在爲了信徒、爲了自己這般眞心誠意唸出來。每個字、每個句子，都有它新的意義和分量，沁入胸中。

現在為上帝而死的人有福了……

司祭熱忱地說，你們不會再碰到苦難了。主不會永遠拋棄你們。祂會洗滌我們的傷痛，會伸手拭淨血跡吧！主不會永遠沉默。

傍晚，司祭爲囚犯們做告解的奧蹟，由於沒有告解室，就把耳朵湊到遞食物的洞口，聽對方小聲的懺悔。其間，其他的人就擠在角落裡，盡量避免妨礙告解的人，司祭想到到友義村之後，就只有這牢房，自己才能夠執行身爲神職人員的任務。他在心中祈禱希望這裡的生活能夠永遠繼續下去。

聽完告解之後，他用掉在庭院中的雞毛，把登陸以來的回憶點點滴滴寫在向警吏要來的紙上。這些紙片能否送到葡萄牙人手中，就不得而知了。或許有信徒會想辦法把它送給在長崎的中國人也說不定。就是這一絲絲希望促使他動筆寫的。

晚上，司祭在黑暗中坐著，聽雜樹林裡山鳩「赫—赫—」的啼叫聲。那時，他感到一直注視著自己的基督的臉，藍而清澄的眼睛安慰地凝視著自己，那張臉是平靜的，卻充滿了自信。司祭對著那張臉說：「主啊！祢不會再拋棄我們吧！」彷彿聽到祂的回答：「我不會拋棄你們。」司祭搖搖頭，又豎起耳朵，然而聽到的只有山鳩的啼叫聲。黑暗，更深，更濃了！但是，司祭感到自己的心靈，雖然只是一瞬間，卻被洗滌過了。

某一天，看守打開鎖，臉從門口伸進來。

「換衣服吧！」把一襲衣服放在地板上，「你看，是新的哦，十德和棉質內衣，對了，這是給你的！」

看守告訴他，十德指的是和尚穿的衣服。

「謝謝你！」司祭瘦削的臉頰上浮現出微笑，「不過，請拿回去吧！我什麼都不要。」

「你不要嗎？不要嗎？」看守者像小孩般搖頭，卻貪婪地看著衣服，「是奉行手下的官差送的呀！」

司祭拿自己穿的麻布衣和這嶄新的衣服相比較，心想：那些官吏爲什麼會給自己和尚的衣服呢？他不知道這是奉行所對囚犯的憐憫，或是他們的計謀。不過，有了這衣服，自己和奉行所從今天起就有了關係。

「快點！快點！」看守催促。「官差們很快就到了！」

沒想到這麼快就要受審。他每天把受審的場面想像成彼拉多和基督的戲劇性場面，群衆叫嚷，彼拉多猶豫和基督沉默地站著。可是，現在這裡只有一隻梨蜩從剛才一直發出誘人沉沉欲睡的聲音鳴叫。午後經常是這樣子，信徒們的牢房又恢復了寂靜。

向看守要熱水擦拭身體，手臂緩緩穿過棉質內衣。沒有布料的舒適感覺，反而有一種因爲穿這衣服等於向奉行所妥協的恥辱感流竄在肌膚上。

中庭裡幾把折凳並排成一列，折凳的黑影落在地面上。司祭受令跪伏在面對入口處門的右側，手放在膝上，等了好久。他不習慣這種姿勢，膝蓋痛得流冷汗，但是他不願讓官差們看到痛苦的表情，拼命地在腦海中描繪著被基督鞭打時的表情，以轉移膝蓋疼痛的注意力。

終於聽到馬和隨從的腳步聲，看守也一樣跪伏在地，低下頭來。幾個武士手搖扇子大搖大擺地走入中庭。那些武士，邊走邊談，連這邊也沒瞧一眼就從前面經過，大模大樣地分別坐到折凳上。看守低著身子送上開水！他們悠哉悠哉地喝白開水。

休息過後，右端的武士向看守交代一些話。然後，司祭搖搖晃晃走到五張折凳之前。

後面的樹上，仍有一隻蟬嘶鳴著，汗流在衣服和背部之間；對投射到自己背部的多道視線，他甚至感到痛楚。現在，牢房中的信徒們一定在聽著自己和官差之間的一問一答。井上和奉行所的官吏們故意選在這個審問場的理由，非常明顯，是想讓百姓們看到自己被責難、說服的情景。Gloris Patri et Fillio et spiritui Sancto 司祭閉上凹陷的眼睛，努力想在臉頰上做出微笑；但是他也知道自己的臉部反而僵硬如面具。

「筑後守大人很掛念神父是否有不方便之處，」右邊的武士努力地用葡萄牙語說。「如果有不自由之處請說出來！」

司祭一直默默地低著頭。一抬起頭，視線和坐在五把折凳正中央的老人交會。那個老人好像得到稀奇玩具的幼兒，臉上浮現出好奇但溫和的笑容看著自己。

「你的國籍是葡萄牙，名叫洛特里哥。據說是從澳門渡海而來的，沒錯吧？」

查驗過兩次經由不同的官差帶通譯來調查後寫成的調查書，右邊的武士露出感動的表情。

「神父在迢迢萬里之外，以使節身分歷經艱難險惡來到這裡，意志之堅強，我等大受感動。我想以前的日子，一定非常辛苦吧？」

對方言辭體貼，那份體貼深深滲入司祭心中。

「我們非常了解這情形，雖說職責所在不得不審問，卻感到很痛苦。」

司祭小心戒愼的心，在官吏「意外」的言辭下，突然鬆弛了。司祭甚至有種衝動的想法：要不是國籍和政治立場不同，還想握手言歡呢！但他馬上警覺到有這種想法是危險的。

「我們並不是在談論神父的宗旨是正？是邪？在西班牙、葡萄牙以及其他諸國，神父的宗旨確實正確；但我們禁止天主教是經過了審愼、多重考量的結果，才認定天主教對現在的日本是無益的。」

通譯馬上進入議論的正題。坐在正面、大耳的老人仍以憐憫的目光俯視司祭。

「以我們的看法，所謂正就是普遍的東西。」司祭總算回老人一個微笑，「剛才，官吏們安慰我的辛苦。說我渡過萬里波濤、歷經長久歲月才來到貴國，這給了很大的溫暖、安慰。但如果正的觀念不是普遍的東西，衆多的傳教士們又如何能忍受這種痛苦呢？正，就是無論哪一個國家、任何時代都通的東西，因此，這才叫作正。在葡萄牙是正確的宗教，在日本也是正確的，否則就不叫作正了。」

通譯有些地方語塞，像木偶般毫無表情地把司祭的話傳達給其他四個人。

只有正面的老人，似乎同意司祭的話，點了好幾次頭。在點頭的同時，用左手輕輕地揉擦右手手掌。

「神父們講的話都一樣，不過，」通譯緩緩譯出另一個武士的話。「在某地能開花結果的樹木，地方改變了也有枯萎的。叫作天主教的樹，在異國枝葉茂盛，還會開花，可是，在我們日本就枝葉枯萎，花蕾也沒一個。司祭沒考慮過水土不同的問題。」

「不可能枝葉枯萎、不長花蕾。」司祭朝對方大聲說：「你以爲我什麼都不知道嗎？我對停留過的澳門的情形當然清楚了，連澳門也對來到這國家的傳教士動態瞭如指掌。聽說在許多藩主允許傳教時，日本的信徒有三十萬人之多……。」

老人仍然點了幾次頭，頻頻揉擦手掌。其他的官吏繃著臉聽通譯的翻譯，只有這個人，好像是站在司祭這邊的。

「如果枝葉不茂盛，花也不開，那是因爲沒施肥的關係吧！」

在前一刻還鳴叫的蟬聲停止了；午後的陽光更加惡毒。官吏們困惑地沉默著。司祭感覺到在背後牢房裡的信徒們都豎起耳朵聽著，他認爲自己赢了這場辯論。一股快感緩緩湧上心頭。

「爲什麼想說服我呢？」司祭低下頭，平靜地說。「無論我說什麼，你們也不會改變自己的意見吧！而我也不想改變自己的想法。」

司祭感覺到自己說話時情緒突然高昂；越意識到信徒們在背後看著，就越想把自己塑造成英雄人物。

「結果，不管我說什麼都會被罰吧！」

通譯機械式地把他的話轉譯給上司。陽光照在那本來就細長的臉上，看來更細長了。這時，老人停下揉擦著的手，露出好像責備頑皮孫子的眼神，大大地搖搖頭。

「我們不會毫無理由地處罰神父們。」

「這不是井上大人的看法！要是井上大人，可能馬上就處罰了。」

官吏們好像聽到笑話似地，哈哈大笑。

「你們爲何發笑呢？」

「神父！你說的那個井上筑後守大人，就在你眼前呀！」

他茫然注視著老人。老人像小孩，天眞地看著這邊，揉擦著手。他沒想到對方的樣子跟自己的想像差這麼遠。被威利也諾神父稱爲惡魔，不斷使傳教士們棄教的男人，在這之前他一直以爲是靑面獠牙的男人，沒想到在眼前的是看來講道理、溫和、善良的老人。

井上筑後守大人向鄰座的武士說了二、三句話之後，從折凳上以笨拙的姿勢站起來。

蟬聲又起。像雲母般閃爍著發亮的午後陽光，使空折凳的影子更強勁地投射在地面上。毫無理由地，一股熱流從司祭胸中湧現，他的眼眶含著淚水。那種感覺就像自己完成某種重責大任一般。突然，從安靜的牢房傳出歌聲——

走吧！走吧！
到天國的教堂去吧！
天國的教堂，
遙遠的教堂……

看守帶他回到木板房間之後，歌聲還繼續了好一陣子。他認爲至少，自己並未使信徒們感到迷惑，並未使他們的信仰遭到挫折。自己並未露出醜惡、卑怯的態度。

從格子窗流入的月光和壁上的影子又讓司祭想起那個人的臉。那張臉似乎俯視著這邊。在那張朦朧不清的臉上，司祭給了它清楚的輪廓、眼睛和嘴巴。我今天幹得很漂亮，司祭像小孩子似地得意洋洋。

中庭傳來打梆子的聲音。警吏每個晚上都這樣巡邏。

第三天。看守選定信徒中的男性，要他在中庭裡挖三個洞。司祭透過格子窗看到陽光照射下，獨眼男子（他的名字叫裘旺）和其他的人揮動鋤頭，把泥土放入籃子搬走。只圍著一條兜襠布的裘旺，因天氣熱，汗流浹背，像鐵般發出亮光。

問看守爲什麼挖洞？回答是當廁所用。信徒們走入挖得很深的洞裡，拚命地把泥土往上送。

在挖洞的過程中，有一個男子中暑倒下去。看守的人又打又罵，但是病人蜷曲的身子一動也不動。裘旺和其他的信徒把他抱回牢房。

不久，看守來找司祭。是因爲倒下去的男人病情驟變，信徒們要求見司祭。司祭到了牢房，看到裘旺和摩妮卡等人圍繞中的病人，在昏暗中，有如一塊灰色石塊躺著。

「喝下去吧！」

摩妮卡用缺口的碗盛水送到他嘴邊；水只稍微沾濕嘴角，並未流入咽喉。

「很辛苦吧！你也要留意身體呀！」

到了晚上，病人的呼吸變得急促。一整天就只吃小米糰子，挖洞的工作使他衰弱的身體負荷不了。司祭跪下來，準備臨終時的聖油；劃十字時，男的胸部高高鼓起。生命就這麼結束了。看守要信徒們把他的屍體燒掉，但司祭和信徒們認爲有違天主教教義而堅決拒絕。因爲天主教徒習慣土葬。翌晨，他們把男人埋葬在牢房後面的雜樹林。

「久五郎眞幸福！」信徒之一羨慕地說。「已經沒有任何痛苦地長眠了。」

其他的男女，露出虛幻的眼神聽著這話。

午後，眼看著燠熱的空氣逐漸移動了，卻開始下起雨來。那天午後，雨在他們埋葬死人的雜樹林、牢房的木板屋頂上發出單調而憂鬱的聲音。司祭兩手抱膝心想官吏要讓自己過這種生活到何時呢？這裡的牢房雖非萬事俱全，只要不鬧事，看守對信徒們的祈禱、司祭訪問他們、寫信等，都默認著。爲什麼會這麼寬大呢？司祭甚至覺得不可思議。

從格子窗，他看到一個穿著蓑衣的男子挨著看守怒吼。因爲穿著蓑衣，看不清楚是誰；但能確定不是牢房裡的伙伴。他不知哀求什麼，看守搖搖頭想趕他走，但他似乎不從。可是——

「你再這樣，我就打下去了！」

看守一舉起棍子，他就像野狗般朝門的方向溜走，之後又回到中庭，佇立雨中。黃昏時候，再透過格子窗往外一瞧，穿蓑衣的男子仍在雨中，雖然身上已淋濕卻仍然一動也不動。看守們或許已厭倦，不再從小屋中走出來。

男人轉向這邊時，彼此的視線接觸。又是吉次郎，他的表情畏怯，朝司祭的方向看，後退二、三步。

「神父！」他的聲音如狗哭。「神父，請聽我說！我要懺悔，請聽我說！」

司祭的臉離開窗口，塞起耳朵不願聽他說。他忘不了魚乾的味道以及那時喉嚨乾渴如燒的感覺。心裡雖想原諒他，但是怨恨和憤怒卻無法從記憶中消失。

「神父呀！神父呀！」

他如幼兒纏著母親，繼續發出哀求的聲音。

「我一直欺騙著你。你不聽我說嗎？神父如果輕視我……我也會憎恨神父和信徒們。我，踏了聖像，茂吉和一藏都很堅強，我，我無法那麼堅強！」

看守忍不住拿棍子到外面來，吉次郎邊逃邊叫嚷著。

「我也有話要說。踏過聖像的人，也有他的理由。你以爲我高高興興地踏過聖像嗎？我踏下的腳很痛啊！眞的是很痛啊！我天生就是弱者，上帝卻要我模仿強者，那是毫無道理的！」

怒吼聲時斷時續，有時變成哀求，又變成哭泣。

「神父！像我這般懦弱的人該怎麼辦才好呢？那時候我並不是想得到賞金才跑去密告的，我，完全是受到官吏的威脅呀……」

「滾吧！快點滾……」看守從小屋探出頭來叫著。「別不知好歹！」

「神父！請聽我說！是我不好！我做了無可挽回的事！看守！我是天主教徒，把我關進牢裡吧！」

司祭閉上眼睛，開始祈禱。對現在在雨中哀號的男子置之不理，有種快感產生。當猶大在血田吊死時，基督是否爲猶大祈禱呢？這件事聖經上沒有記載；即使記載了，自己也不會有那種胸懷的。他不知對這種男人要怎麼相信才好？那個男人乞求他寬恕；但司祭視爲那不過是一時情緒高昂的話語。

吉次郎的聲音漸弱漸小，終至消失了！從格子窗往外瞧，看到憤怒的看守用力推這個男的背部，把他送入牢房。

入夜，雨停了，送來一糰小米飯和鹹魚。魚已腐爛不能吃。跟平常一樣，傳來信徒們的祈禱聲。取得看守的許可到牢房，看見吉次郎被趕到離大家遠遠的一個小角落。信徒們拒絕和吉次郎在一起。

「要留意那傢伙！」信徒小聲地告訴司祭。「說不定是官吏們利用棄教的人要來欺騙我們。」

奉行所利用棄教者混入信徒當中，巧妙地探查信徒的動向，鼓吹棄教。吉次郎是否又收了錢才做那樣的事，這就不清楚了。司祭已無法再相信那傢伙了！

「神父啊！」吉次郎知道他來了，在黑暗中說：「我要告解，求求你。我想做恢復信心的告解。」

恢復信心，指的是曾一度棄教，再次恢復信仰。信徒們聽他這麼說，嘲笑他：

「想告解嗎？儘管說吧！你爲什麼到這裡來，你這小人！」

但是，司祭沒有拒絕信徒作告解的奧蹟的權利。如果信徒要求作奧蹟，就不能憑一己的感情決定答應與否。他不甘心地走到吉次郎身旁。舉起手做出祝福的手勢，義務性地祈禱，把耳朵湊過去。在黑暗中，鼻息的臭味衝到臉上時，他腦海裡浮現出這傢伙黃色牙齒和狡猾的眼睛。

「神父！請聽我說！」吉次郎故意大聲說，讓其他的信徒也聽得到。「我是棄教者，可是，如果我早生十年，我說不定會是個好的天主教徒，可以上天國呢。我現在是個棄教者，遭到信徒們輕視，這都是因爲我生不逢時……我好怨恨呀！我好怨恨呀！」

「我還是不能相信你！」司祭耐心忍著吉次郎的鼻息臭味說。「我可以給你作寬恕的奧蹟，可是，這並不表示我相信你。到了這地步，你爲什麼又回到這裡來呢？我不知理由何在。」

吉次郎大大地嘆口氣，尋找辯解的話，同時移動著身體，一陣污垢和汗臭味又飄過來。司祭突然想到：基督在人類當中，也會尋找像這樣最髒的人嗎？惡人有惡人的堅強和美。可是，這吉次郎比惡人都不如。只是像破衣服一樣骯髒。司祭壓抑不愉快的心情，唸了告解結束前的最後的禱告，習慣地說：「祝你平安！」然後，爲了避開口臭和體臭，趕緊回到信徒這邊。

不！主只尋找襤褸般骯髒的人，司祭躺在床上這麼想。出現在聖經裡的人物當中，基督尋找的是患血漏的女人；是被衆人丟石頭，如娼婦般毫無吸引力、一點也不美的人。喜歡有吸引力的、美麗的人，這是誰都辦得到的。那不是愛。對容顏衰老、襤褸般的人和人生，不會拋棄的才是眞正的愛，司祭雖然知曉這道理，但還是寬恕不了吉次郎。當基督的臉再次靠近自己，以含淚的、體貼的眼光一直凝視著這邊時，司祭對今天的自己感到可恥。

踏聖像開始了！信徒們像被拖到市場的驢，排成一列。這次的官吏跟上一次不同，是年輕的部下，雙手交叉抱在胸前，坐在折凳上。看守們手持棍子戒備著。今天蟬聲清涼，藍空萬里無雲，空氣清爽。很快就跟平常一樣，變得燠熱讓人覺得慵懶無力吧！沒被帶到中庭的只有司祭一人，他把無肉的臉貼在格子窗上，注視著就要開始的踏聖像的情形。

「早一點結束就可以早一點離開這裡。我並不是說要你們眞心踏下去。這只是形式而已，所以，腳雖然踏下去也不會傷害到你們的信心。」

官吏們從剛才就一而再地告訴信徒們，踏聖像只是形式而已。只要腳踏下去就得了；雖然踏下，跟心中的信仰無關。奉行所也不想追究這點。只要聽從奉行所的命令，腳輕輕放在聖像上，馬上就可以釋放了。四個男女，面無表情地聽這些話。臉貼在格子窗上的司祭也不知這些人到底想著什麼。跟自己一樣顴骨突出，因整天都照射不到陽光的關係，四張青黃而腫脹的面孔，活像無意志的木偶。

明知道要來的終歸要來，但總產生不了不久自己和信徒的命運就要決定的眞實感。官吏們好像拜託什麼事似地向信徒們說話。百姓們如果搖頭，奉行一行人可能像上次那樣，露出苦澀的表情離開吧！

看守彎腰把用布包著的聖像放在折凳與百姓之間，又回到原來的位置。

「生月島、久保浦、藤兵衛。」

一個官吏翻著簿子，一一叫名字。四人仍茫然坐著。看守慌忙拍了左邊男子的肩膀，男人揮手，但身子沒動。用棍子推了二、三下背部，身子只向前傾，並未離開跪伏處。

「久保浦・長吉。」

獨眼男子，像小孩子搖了兩、三次頭。

「久保浦・春！」

把越瓜遞給司祭的女人，傴僂著背，頭下垂；看守推她，仍舊低著頭，臉也不抬起來。最後叫到的名叫亦市的老人，趴在地上動也不動。

官吏並未生氣，也沒罵他們，好像一開始就知道會有這種結果，仍舊坐在折凳上，彼此小聲地交談，之後，突然站起身子回到看守小屋。陽光從牢房的正上方，照射著留在那兒的四個人。四個跪伏著的影子，深深地映在地面上，蟬聲又起，宛如要撕裂發亮的空氣！

信徒們和看守開始邊笑邊談著什麼。剛才審問者和被審問者的感覺已蕩然無存。其中一個官吏從小屋那邊說，除了獨眼長吉之外，其他的人可以回到牢房。

司祭放開抓著格子窗的手，在地板房間坐下。往後不知會怎麼樣。雖然不知，但今天這一天總算平安度過的安心感在胸中擴散開來。今天這一天能平安度過就好了。明天的事？明天，能活下去就不錯了。

「把那扔了吧！」

「太可惜了！」

不知他們在談什麼，看守和獨眼男子之間的悠閒對話隨風送來。一隻蒼蠅從格子窗飛進去，發出引人入睡的嗡嗡聲，開始在司祭四周迴繞。突然有人在中庭裡跑，發出笨重而低沉的聲音。司祭貼在格子窗上時，行刑完畢的官吏，正把閃著光的利刀納入刀鞘，獨眼男子的屍體臉朝下趴在地上。看守拉著他的腳，慢慢拖到要信徒們挖好的洞裡去。黑褐色的血，像帶子一樣從屍體源源不絕流出。

突然，女子尖銳的叫聲，自牢房響起。叫聲像歌唱似地拉長。叫聲停止後，四周又是一片寂靜，貼在格子窗上的司祭的手抽筋似地顫抖。

「給我好好想想！」另一個官差背向這邊朝牢房說。「不愛惜生命又怎麼樣呢？我再囉嗦一遍，早一點結束就可以早一點從這裡出去。並不是要你們眞心踏下去，只是形式上把腳放上去，又不會傷害到信心。」

看守吆喝著把吉次郎帶出來。只圍著一條兜襠布的這傢伙，跌跌撞撞來到官吏面前，點了好幾次頭，抬起瘦小的腳往聖像踏下去。

「快滾！」

官吏滿臉不高興，指著門，吉次郎連滾帶爬地逃走了。他連一次都沒回過頭看司祭的小屋。吉次郎的事，司祭並無所謂。

空曠的中庭，艷陽惡毒地照射著。在正午的陽光下，地面上清楚地留著黑色污垢，那是從獨眼男子屍體流出的血。

跟剛才一樣，乾燥的蟬叫聲仍繼續響著。無風。跟剛才一樣，一隻蒼蠅在自己臉部四周發出低沉的嗡嗡聲迴繞著。外界並無絲毫改變，儘管一個人死了，一切都沒改變。

（這樣的事，）司祭抓緊格子窗，極爲震驚。（這樣的事……）

他的心混亂並不是因爲突然發生的事件。無法理解的是，中庭的寂靜和蟬聲、蒼蠅聲。儘管一個人死了，外界卻像什麼事都沒發生過一般，繼續著先前的運轉。沒有這樣的傻事，這就是所謂的殉教嗎？爲什麼，祢還沉默著？現在，祢應該知道那個獨眼的百姓——是爲了祢——死了。可是，爲什麼一切還這麼靜呢？祢和這正午的寂靜、蒼蠅聲、愚劣而殘忍的事好像全無關係，毫不加理睬。我無法忍受……這一點。

總算能顫抖著嘴唇想說「主啊！憐憫我！」的祈禱詞；可是，祈禱詞卻從舌頭消失了。主啊！請不要再捨棄我！不要再莫名其妙地拋棄我們！這就是祈禱嗎？長久以來，我一直認爲祈禱是爲了讚美祢；然而，現在向祢說話時，好像是爲了要詛咒祢。突然有一股想笑的衝動。將來自己被殺的那一天，外界是否也跟現在一樣毫無關係地運轉著呢？自己被殺之後，蟬聲是否依舊鳴叫，蒼蠅是否仍然發出誘人入睡的嗡嗡聲呢？那麼想當英雄嗎？你所期待的，不是默默無聞的殉教，而是虛榮的死亡嗎？是爲了希望被信徒們讚美、祈禱，說那個神父是聖人嗎？

他雙手抱膝，靜坐在床上一陣子。「時刻，已接近十二點，但到下午三點爲止，大地一片黑暗。」那個人在十字架上死亡的時刻，從神殿傳來一長聲、一短聲，又一短聲的三次喇叭聲。踰越節的儀式開始了。大司祭長穿著藍色長袍登上神殿的階梯；在犧牲的祭壇前，長笛聲響。那時，天空陰暗，太陽躲到雲裡。「太陽變黑，神殿的幔子從中裂開」，這是長久以來想像出來的殉教情景。可是，現實裡看到的百姓殉教，就跟他們所住的小屋、他們所穿的破爛衣服一樣，是多麼寒傖、可憐！

沉默

7

遠藤周作

第二次看到井上筑後守，是那次之後第五天的傍晚。白天凝固不動的空氣開始流動，枝葉在傍晚風中開始發出清爽的聲音時，他在看守的辦公室和筑後守對坐。除了通譯之外，奉行沒帶人來。司祭和看守一起進入辦公室時，奉行兩手捧著大碗白開水正緩緩地喝著。

「好久不見！」奉行捧著茶碗，以充滿著好奇的大眼睛注視著司祭說，「我有事到平戶走了一趟。」

奉行命令替司祭端來白開水，然後，臉頰浮現微笑，開始緩緩說出自己去平戶的事。

「要是有機會，神父也應該到平戶走一趟。」

那語氣好像司祭完全是自由之身。

「那是松浦公的城鎮，有座山面對著波浪平靜的港灣。」

「我聽澳門的傳教士們說過那是個美麗的城鎮。」

「我並不覺得美麗，反倒覺得有意思。」筑後守搖搖頭。「看到那座城，就想起一則從前聽過的故事。平戶的松浦隆信大人有四個側室，她們彼此嫉妒、爭寵。最後，隆信大人忍不住了把四個人都趕出城外。啊！對了！對終生不娶的神父不該說這種話。」

「那位大人的做法非常聰明。」

筑後守融洽的談話語氣，很快就把司祭緊張的情緒給鬆弛了。

「你眞的這麼認爲，那我就放心了。平戶，不，我們日本就像這個松浦公。」筑後守兩手轉著茶碗，笑了。

「名叫西班牙、葡萄牙、荷蘭、英國的女人，每天晚上都在日本這個男人耳邊說彼此的壞話！」

聽著通譯的翻譯，司祭逐漸明白了。奉行究竟想說什麼呢？他知道井上不是在說謊。因爲以前在臥亞和澳門時就聽說過，信新教的英國人和荷蘭人，不喜歡信舊教的西班牙人和葡萄牙人在日本發展，經常向幕府和日本人進讒言。而且，也有過傳教士們爲了對抗嚴禁日本信徒和英國人及荷蘭人接觸的時代。

「既然你也覺得松浦公的處置相當聰明，神父不會認爲禁止天主教的理由非常愚蠢吧！」

奉行氣色良好的胖臉上一直掛著笑容，注視著司祭的臉。他的眼睛是日本人少見的淺褐色，鬢毛或許染過，連一根白髦都沒有。

「我們的教會倡導一夫一妻制，」司祭也故意半開玩笑地回答。「既然有了正室，把側室趕出去是聰明的。日本也應該從四個女人當中，選一個當正室，怎麼樣？」

「那正室，指的是葡萄牙嗎？」

「不！是指我們的教會。」

通譯毫無表情，把這回答譯出來，筑後守的表情變了，笑出聲來。以老人來說，笑聲未免太高，但是俯視著這邊的眼睛卻不帶一絲感情，眼睛並無笑意。

「可是，神父！你不認爲日本這男人，不選外國女性，而和同一國出生、彼此心意相通的日本女性結合是上上之策嗎？」

司祭馬上了解井上筑後守所說的異國女性指的是什麼。不過，對方既然不著痕跡利用閒談來辯論，這邊也不能示弱。

「在教會裡，女人出生的國籍並不重要，最重要的是她對丈夫是否眞心。」

「是嗎？只要有感情就能結成夫妻的話，這世界就沒有浮世之苦了。俗話說，醜女多情。」

奉行對自己的這個比喻似乎很得意，深深地點頭。

「可是這世上也有男士就因爲醜女多情而苦惱不已呀！」

「奉行大人把信仰的宣傳當成強制性的愛情推銷。」

「對我們來說，是這樣的。如果你不喜歡醜女情深這句話，這麼想也可以：無法生兒育女的女人，在這個國家叫石女，沒有資格嫁人。」

「宗教在日本如果無法紮根，發揚光大，那不是教會的緣故。我認爲那是想拆散女人和丈夫——即教會和信徒——的人的緣故。」

通譯爲了尋找適當的譯詞，靜默了一會兒。平常，這時候會聽到信徒們在牢房的晚禱聲。但是，現在，什麼也聽不到。突然，五天前的寂靜——這寂靜，表面上似乎一樣，其實完全不同——在司祭心中甦醒。獨眼男子的屍體趴著倒在艷陽高照的地面上，看守隨便抓起一隻腳拖到洞裡。一直流到洞口的血跡，好像一把刷子在地面上長長地劃了一道線。司祭無論如何也想像不到下令處死人的，就是眼前容貌溫和的男人。

「神父！不，到目前爲止的神父們，」筑後守一句一句分開說。「不知怎的，似乎都不了解日本。」

「奉行大人也不了解天主教。」

司祭和筑後守同時笑起來。

「不過，三十年前，當我還是蒲生①家的部下時，我也曾向神父請教過天主教教義。」

「結果呢？」

「我現在下令禁天主教，跟社會一般的想法不同。我從未認爲天主教是邪教。」

通譯露出驚訝的表情；在通譯猶豫片刻後，到開始翻譯之前，他含笑望著還有少許白開水的茶碗。

「神父，從現在開始，我這老頭所說的兩件事，你要仔細考慮。那就是醜女的深情對一個男人而言是難以忍受的重擔，以及石女並沒有出嫁的資格。」

奉行起身時，通譯雙手交叉在前恭恭敬敬地低頭行禮。筑後守慢慢穿上看守慌忙擺整齊的草鞋，然後頭也不回，就往夜色籠罩的中庭走去。小屋的門口蚊子成群；馬嘶聲在外面響起。

晚上，雨靜靜地下起來了。雨在小屋後面的雜樹林裡發出沙沙聲。

司祭把頭壓在堅硬的床上，聽著雨聲，心裡想著跟自己一樣受審的那天、那個人的事。瘦巴巴的那個人，擦傷的臉上表情僵硬，被人追跑下耶路撒冷斜坡的是四月七日早上的事。黎明的曙光把向死海那邊延伸的麾普山脈染成白色，塞多隆河流水潺潺。沒有人肯讓祂休息。從達比提斜坡橫過克西斯斯廣場，只有奇洛貝歐橋旁會議所的建築物在晨曦照射下，呈金色而鮮明。

長老和律法學者，馬上會作成死刑的判決，然後，只要獲得羅馬派來的總督比拉特的同意就行了。在街的外廊，跟神殿比鄰而立的軍營中，已接到通知的比拉特應該已在等候他們了。

司祭對四月七日決定性的這天早晨的情景，從小就已背得滾瓜爛熟了。那個瘦瘦的人，對司祭而言，是一切的模範。即使是那個人，也跟所有的犧牲者一樣，以充滿悲哀和絕望的眼睛，怨恨地注視著罵他、向他吐口水的群衆。而猶大也混在人群裡頭。

猶大爲什麼在這時候還跟在那個人的後面呢？是想看看被自己出賣的男人的最後下場，出自這種復仇的快感嗎？總之，一切都巧合得令人難以相信。

如基督被猶大出賣一樣，自己也被吉次郎出賣；現在自己也和基督一樣快要被地上的權利者審判。和那個人分享著相似的命運的這種感覺，在這雨夜，如疼痛般的喜悅充塞司祭胸臆。那是基督教徒們才能體會的和神的兒子心靈交會的喜悅。

另一方面，司祭卻因不了解基督體驗的肉體的痛苦，而感到不安。在比拉特的公館裡，那個人被綁在二尺多長的柱子上，被用塗了鉛的皮鞭抽打，手被鐵釘釘上。可是，自己被關進這牢房之後，奇怪的是從未被看守或官吏打過。司祭不知這是否出自筑後守的指示？也彷彿覺得從未挨打過的日子將一直持續下去。

這是爲什麼呢？他聽過好多次，在這個國家被捕的衆多傳教士受到多麼淒慘的拷問和苦刑。諸如：在島原活生生被火烤的拿巴勒神父；在雲仙地方全身被滾燙的熱水「侍候」過不知幾次的卡爾瑞里歐神父、卡布利耶魯神父；在大村的牢房被活活餓死的衆多傳教士。儘管如此，自己在這牢房裡，有祈禱的自由也有和信徒們談話的自由。食物雖然簡陋，一天還供應三餐。而且，官吏們、奉行並未嚴厲審問自己。幾乎都是形式上閒談幾句後就回來。

（他們到底有何打算？）

自己如果遭到拷打，是否撐得下去呢？司祭想起在友義村山上的小屋和同事卡爾倍幾次交談的事。當然，除了認眞求主幫助之外別無他法；但那時的自己心中，隱約有堅持至死爲止的決心。即使是在山中流浪時也覺悟到如果被捕，難逃肉體的刑求。是否情緒高昂之故，認爲無論怎麼樣的苦，都能咬緊牙關忍耐下去。

可是，現在感覺到這決心的一角似乎已軟化。他從床上起來，搖搖頭邊想什麼時候勇氣會消失呢？（是這裡生活的緣故嗎？）心中某處突然有人告訴他。（因爲，這裡的生活，對你而言是最愉快的。）

是的。自從來到日本之後，自己除了這牢房之外，從未盡過身爲司祭的義務。在友義村，躲著官吏；之後，除了吉次郎之外並未接觸過其他百姓。來這裡之後，他才開始和百姓一起生活，不用挨餓，一天裡的大半時間都用在祈禱、默想。

在這裡的日子，像沙般靜靜地流逝。如鋼鐵般堅強的意志也逐漸腐蝕。感覺上本來認爲無可逃避、一直等待著的拷問和肉體上的痛苦，似乎不會加諸自己身上。官差、看守是寬大的，臉色溫和的奉行愉快地談論平戶的事。一旦嘗過溫水般的舒適，想要重新過像以前那樣的山中流浪生活，或把身子蜷伏在山中小屋的生活，需要下雙重的決心吧！

司祭這時也警覺到日本的官吏和奉行幾乎什麼都不做，好像蜘蛛在網上等待餌食上鈎，等待的是自己精神上的鬆弛，突然，他想起筑後守做作的微笑和雙手揉擦的動作。奉行爲什麼會做那種動作，現在，他完全了解了。

一切好像要證實他的猜測無誤似的，本來一天只提供兩餐，從翌日起增加爲三餐。毫不知情的看守，像老好人地齜牙而笑。

「請吃吧！這是奉行大人的指示，這是很少有的待遇哦！」

司祭望著盛在木碗的糯米小豆蒸飯和魚乾搖搖頭，拜託看守拿給信徒們吃。蒼蠅已在飯上迴繞著。傍晚，看守拿了二張草蓆來。
改善待遇的下一步，官吏們會做什麼呢？司祭逐漸明白了。改善待遇也就意味著審判的日子接近了。已習慣安逸生活的肉體，一定忍受不了痛苦。官吏們使用這種陰險的手段等待著自己身心漸漸鬆弛，然後，突然加以拷打、審問。
（穴吊……）
在島上被捕的那天，從那個通譯口中聽到的話記憶猶存。如果費雷拉老師眞的棄教了，那一定是跟自己一樣，起初受到良好待遇，在肉體和精神都鬆懈後，受到突如其來的拷問。否則，那個德高望重的神父，怎麼會這麼快就棄教呢？這是多麼狡猾的方法呀！
「日本人是我們所知的最聰明的人。」司祭想起聖薩比耶爾寫的話；他做出諷刺的表情，笑了。
拒絕多吃一餐，晚上的草蓆也拒絕使用的事，當然透過看守的嘴巴已向官吏和奉行報告了，但是並未受到責難。他們是否已察覺到計劃被識穿了呢？這就不得而知了。
筑後守來過後，大約十天左右的早晨，司祭被中庭的嘈雜聲吵醒了。把臉貼在方格窗上，看到武士催促著三個信徒，正要從牢房帶到外面去。朝霧中，看守把三個人的手腕綁成一串拖著走。給過自己越瓜的女人被綁在最後。
「神父！」從司祭關得緊緊的看守小屋前經過時，他們異口同聲喊著。「我們去做公差。」

司祭從格子窗伸出手，向他們每一個人劃祝福的十字。司祭的手指只碰到臉上浮現出淡淡的悲傷，像小孩子似地靠過來的額頭一點點而已。

一整天都非常平靜，但從正午前氣溫逐漸上升，強烈的陽光從格子窗毫不留情地照射進來。司祭向送餐飯來的看守打聽那三個信徒什麼時候會回來，回答他公差結束，傍晚之前會回來吧！長崎現在在筑後守的命令下，到處興建寺廟、神社，因此再多的人手都感到不夠。

「今晚是盂蘭盆會，神父可能不知道吧？」

聽看守說，今晚是佛教的盂蘭盆會，長崎的百姓們在屋簷下張掛燈籠、點火。司祭告訴看守西洋也有叫萬聖節的，跟這一樣。

遠處傳來小孩的唱歌聲，仔細一聽——

提燈呀、再見唷、扔石頭、手爛爛

提燈呀、再見唷、扔石頭、手爛爛

小孩們時斷時續的歌聲中，隱含哀傷。

黃昏，停在百日紅樹上的寒蟬又叫起來了。蟬聲在無風的傍晚停止了，但是三個信徒還沒回來。在油燈下吃完晚飯時，又隱約傳來小孩的歌聲。夜半皎潔的月光從窗外瀉入，司祭因月光而醒過來。盂蘭盆會似乎已結束，黑暗深濃，不知信徒們是否已回來。

翌日清晨，天未亮就被看守叫醒。看守說，穿上衣服馬上到外面來。

「耶——」

他問，去哪裡呢？看守回答自己也不知道，不過選這麼早的時間，可能是防止好奇心強的百姓在路上看到外國的天主教神父而聚集成群吧！

三個武士等著他。他們也只說明是奉了奉行的命令；他們排成一列，默默地走在清晨的路上。在朝霧中，稻草屋頂和茅草屋頂的商店，緊閉門戶宛如陰險的老人一言不發地並列著。道路的兩側有田地，有木材堆積著。施工中的木材味道混在霧的氣味中傳開來。長崎的街衢正在發展中。嶄新的建築物後面，乞丐和流浪漢攤蓆而眠。

「長崎是第一次來嗎？」

武士之一笑著問司祭。

「斜坡很多吧？」

斜坡的確相當多，有的斜坡上已蓋滿茅草屋頂的小民房。雄雞報曉，屋簷下褪色的提燈無力地滾落路上，許是昨夜盂蘭盆會的紀念品吧！斜坡的正下方，長滿茂盛蘆葦的大海被長長的半島包圍著，像乳白色的湖泊延伸到遠處。霧散開後，並列著幾座並不高的山丘。

近海處有松樹林。松樹林前放著一個籃子，四、五個光腳的武士蹲著不知吃些什麼。他們嘴巴動著，同時以好奇的目光一直注視著司祭。

林中已用白色帳幕圍起來，折凳並列著。武士之一指著折凳，要司祭坐下。對一直以爲來受審的司祭而言，這樣的待遇稍感意外。

灰色的沙灘平穩展開，與港灣相連；由於天空陰暗，海呈暗褐色。海浪衝擊海濱的單調聲，讓司祭想起茂吉和一藏的死亡。那一天，海上不停地下著毛毛細雨；雨中，海鳥飛到木樁旁。海疲倦似地沉默；神也繼續保持沉默。好幾次掠過心頭的這個疑惑，自己仍然無法回答。

「神父！」

聲音響自身後。回頭一看，長髮垂肩、四角臉型的男人拿扇子在掌中把玩，笑著。

「哦！」

司祭從聲音想起這個男人，是在島上小屋詢問過自己的通譯。

「你還記得嗎？從那次之後又經過了多少時日？不管怎麼說，能夠再見到你是件值得高興的事。現在，神父住的牢房是新建的，住起來還不錯，在新牢房蓋成之前，天主教神父們幾乎都住在大村的鈴田牢房；那裡雨天漏雨，颳風日風會吹進來，對囚犯們是難受的住處。」

「奉行馬上會到這裡來嗎？」

爲了阻止對方的喋喋不休，司祭一轉移話題，對方的扇子在掌中敲出聲音。
「不！不！筑後守不來這裡。你對奉行的印象如何？」
「他待我非常親切。一天供三餐，連晚上穿的衣服也給了，我擔心自己的身體因爲這樣的生活，可能會背叛堅定的心意呢。這不正是你們所期待的嗎？」
通譯裝糊塗，移開眼睛。
「其實，今天奉了奉行所的命令，無論如何想跟神父見面的人馬上就要到了。你們同是葡萄牙人，一定有許多話談！」
司祭一直瞪著通譯黃濁的眼睛，淺笑從他的臉頰上消失了。是費雷拉！是的，這些人終於把費雷拉帶來，是要說服自己棄教？長久以來，自己對費雷拉並無厭惡感，優越者對可憐的人所產生的憐憫之感反而更強烈。可是，現在，眞正能夠和他面對面時，司祭卻感到強烈的不安和慌亂。那原因，連自己也不知道。
「這個人，是誰？你認識吧？」
「認識。」
「哦——」
通譯臉頰上浮現出淺笑，邊揮著扇子朝灰色的沙灘望過去。看到遠處沙灘有一群人排列成隊，朝這邊走過來。
「會在那群人當中！」

司祭不願把內心的動搖表露在外；但仍不由得從折凳上站起來。透過被沙玷污成白色的松樹幹，逐漸接近的人群已慢慢分辨得出，兩個負責警衛的武士走在前頭。他們的背後是綁成一串的三個人。摩妮卡蹣跚的步履，一目瞭然，而在三個人後面，司祭看到了同事的卡爾倍。

「看！看！」通譯驕傲地說：「如神父所料吧！」

司祭的眼睛一直盯著卡爾倍。但是卡爾倍不知道司祭就在這松樹林裡。他跟自己一樣穿著日式工作服，也跟自己一樣露出膝蓋以下的白色小腿。他盡量抬頭挺胸，深深吸氣，跟在大家的後面。

司祭並非因同事被捕而吃驚。從登陸友義村海濱時就覺悟到有一天會被捕。司祭想知道的是，卡爾倍在哪裡被逮捕，被逮捕之後他想些什麼呢？

「我想跟卡倍爾談談！」

「想談談吧！不過，白天很長，現在還只是早上，不用急。」

通譯存心讓司祭著急，故意打個哈欠，用扇子搧著臉。

「啊！對了，在島上和神父問答時，有個問題我忘了問。神父，天主教所說的慈悲，究竟是什麼意思？」

「你就像虐待小動物的貓一樣。」司祭以凹陷的眼睛注視著對方說。「現在，正享受著淫賤的快感。告訴我卡爾倍是在哪裡被逮捕的。」

「我們不會無緣無故告訴囚犯奉行所所做的事！」

隊伍在灰色的海濱突然停止，官吏們開始卸下馱在後一匹馬背上的草蓆。

「喂！」通譯興致勃勃地窺探他的表情，「神父，你知道那草蓆是做什麼用的嗎？」

除了卡爾倍之外，官差們用草蓆把三個信徒的身體捲起來，那樣子就像只露出頭部的蓑衣蟲。

「等一會兒，他們會被送上船，划到大海。這個港灣比外表上看來深得多。」

湛藍色的單調波浪，仍然啃蝕著海濱。雲掩住太陽，天空灰色而低垂。

「看！現在，一個官差正跟卡爾倍神父講話。」通譯像唱歌似地說。「他們談些什麼呢？官差們可能這麼說：如果天主教的神父眞的慈悲的話，一定會同情被用草蓆捲著的三個人，不會見死不救吧！」

司祭現在已很淸楚，通譯到底想說什麼。憤怒如旋風颳過身體。如果自己不是神職人員，一定會使盡力氣勒緊這個男人的脖子。

「奉行大人說，只要卡爾倍神父說一句：棄敎，三個人的命就有救了。他們昨天已在奉行所用腳踏過聖像了。」

「對踏過的人……現在還……眞是太殘酷了！」

司祭喘著氣說，他說的話無法連貫。

「我們希望棄教的，並不是像那樣的小卒。在日本諸島還有許多偷偷信奉天主教的百姓。要讓他們回心轉意，神父們非先棄教不可。」

Vitaem prasta puram, Iter para tutum（求祢讓我們的生涯純潔，求祢讓我們的道路平安！）司祭要唸聖瑪麗亞的禱告詞；但蟬在百日紅樹上鳴叫，陽光照射的地面上，一條黑褐色的血跡的中庭光景，卻浮上心頭，歷歷如繪。他是要爲大家犧牲才來這個國家的；但事實上，卻是日本的信徒爲了自己一個接一個地死去。他不知怎麼辦才好。行爲，不像以前在教義裡學到的那樣，能明確地分出這是正、是邪、是善、是惡。卡爾倍如果搖頭，那三個信徒會像石頭般被丟入港灣。他如果接受官吏們的誘惑，那就意味著卡爾倍的生涯是失敗的。眞不知道該怎麼辦才好。

「那個卡爾倍會怎麼回答呢？我聽說過天主教的教義是慈悲的，上帝也是慈悲的……看！是小舟！」

突然，被用草蓆捲起來的兩個信徒滾動似地跑起來。官吏從背後一推，囚犯就倒在沙灘上，只有像蓑衣蟲的摩妮卡注視著湛藍色的大海。司祭想起那個女人的笑聲和從乳房間掏出給自己的越瓜味道。

「棄教吧！棄教吧！」

他在心中朝著遠處，背向正聽著官吏講話的卡爾倍說。

「棄教吧！不！不！不可以棄教。」

司祭感到汗在額頭流，他閉上眼睛；對即將發生的事，他畏怯地想避開眼睛。祢爲何沉默？儘管到了這地步還沉默著。再度睜開眼睛時，三個像蓑衣蟲的信徒已被官吏趕上了小舟。

（我要棄敎，要棄敎！）這話都已衝到了喉嚨。他咬緊牙關，不讓這句話和聲音發出來。跟在囚犯後面拿著矛的二個官吏，把和服撩到腿上，跨入小舟後，小舟在波浪中飄盪離開沙灘。還有一些時間！請不要把這一切歸罪到我和卡爾倍身上。那是祢該負的責任。卡爾倍跑起來了，高舉雙手從海邊投向大海。浪花濺起，向小舟游過去，邊游邊喊著：

「請聽……我們的祈禱！」

那聲音分不出是哀叫或怒吼，隨著黑色的頭沒入波浪中也消失了。

官吏們從小舟伸出身子，露出白色牙齒笑了，其中一人又拿起矛，嘲笑想靠近小舟的卡爾倍。頭沒入海中，聲音中斷，然後，像隨波逐流的黑色垃圾又冒出海面來，比先前更無力的聲音，斷斷續續地不知叫什麼。

官吏要信徒之一站到舟緣，用矛柄使勁一推，被草蓆包著的身體像木偶般垂直消失在海裡。接著，很快地，另一個男人又掉入海中；最後摩妮卡也被大海吞噬了。只有卡爾倍的頭像遇難小舟上的木塊漂流了片刻，很快又被小舟掀起的波浪掩蓋了。

「這種事，不管看幾次都令人厭煩。」通譯從折凳上站起來，突然回過頭來，他的眼中充滿了憎恨。

「神父！這是你們造成的，這都因爲你們硬要把自私的夢想在這個國家實現之故，你可曾想過爲了這個夢想，害慘了多少百姓？看！看！爲了你們血又在流了，無辜的他們的血又在流了！」

然後，他唾棄地說：

「卡爾倍還很純潔。可是你呢……你是最卑怯的人！不配稱作神父！」

提燈呀、再見唷、扔石頭、手爛爛

提燈呀、再見唷、扔石頭、手爛爛

盂蘭盆會雖已結束了，小孩子們還在遠處唱那首歌。近來，長崎的家家戶戶都把大豆、芋頭、茄子一起放在精靈架上拜拜的法界飯給浪人、乞丐吃。百日紅樹上，每天蟬聲依舊響著，但是聲音逐漸無力。

「他在做什麼呢？」

每天來察看一次的官吏問。

「還是老樣子。整天都面對著牆壁。」

看守指著關著司祭的房間小聲地回答。官吏悄悄地從格子窗探看；看到司祭在陽光照入的地板房間，背朝外邊坐著。

面對著的壁上，整天都看到藍色的波浪和忽現忽沒的卡爾倍小小的黑色頭。現在，三個被用草蓆包起來的信徒，像小石子般沉入海底。

這幻影一搖頭就消失了，眼睛一閉上又固執地浮現在眼簾裡。

「你是最卑怯的人！」從折凳上站起來的通譯說。「不配稱作神父。」

自己既拯救不了信徒，又不能像卡爾倍那樣追隨他們之後消逝在波浪中。自己被對那些人的憐憫拖曳著，毫無辦法。可是，憐憫不是行爲，也不是愛。憐憫和情慾一樣不過是一種本能。這些東西，從前在神學院的硬板凳上早就學過了，但那僅止於書上的知識。

「看！看！爲了你們血又在流了，無辜的他們的血又在流了！」

於是眼前浮現出陽光照射的牢房庭院裡，長長的一條血跡。通譯說這血是傳教士們自私的夢想招徠的。井上筑後守把這自私的夢想比喻成醜女的深情。他說，對一個男人而言，醜女的深情是難耐的重擔。

「而且，」在通譯浮現出笑容的臉上，筑後守血色、肌肉良好的臉重疊於上，「你說，要爲他們犧牲才來這國家；但事實上，卻是他們因爲你一個接著一個地死去。」

侮蔑的笑聲像針般刺入司祭的傷口。他虛弱地搖搖頭，這個國家的百姓長久之間，並非爲自己而死。他回答：他們爲了保衛自己選擇死亡是因爲他們獲得了信仰。然而，這個回答如今根本無法轉變成治癒傷口的力量。

每天就這樣子度日。百日紅的樹上，無力的蟬聲依舊響著。

「他在做什麼呢？」

每天來察看一次的官吏問：

「還是老樣子。整天都面對著牆壁。」

看守指著房間小聲回答。

「奉行所下令要仔細觀察。一切都依筑後守大人的計劃順利進行。」

官吏的臉離開格子窗，像一直觀察病人病情經過的醫師，現出滿意的淺笑。

盂蘭盆會結束後，長崎的街衢持續了一段短暫的平靜日子。這個月月底叫作「禮日」，長崎、大山浦、浦上的莊頭們把早熟的稻米裝箱獻給奉行所。八月朔日叫作「八朔」，官差和地方的士紳代表們穿著白麻布夏衣向地方官請安。

月亮逐漸接近滿月。牢房後面的雜樹林裡，每個晚上山鳩和貓頭鷹相似的聲音，交互地啼叫。在雜樹林上渾圓的月亮，帶著令人不舒服的紅色，在黑雲中時隱時現。老人們談論著今年或許會有不祥之事發生。

八月十三日。長崎的商家做醋泡蘿蔔絲、煮琉球芋、大豆等。當天在奉行所上班的差役們奉獻魚類和糕餅。奉行大人也把酒或湯、湯圓等賞賜給差役。

那天晚上，看守們以芋頭、大豆等爲下酒菜，飲酒至深夜。濃重的鄉音和杯盤的碰撞聲不絕於耳。從格子窗瀉入的銀色月光，照到正襟危坐的司祭的瘦削肩上。瘦弱的身影映在木板壁上；偶爾不知受到什麼驚嚇，雜樹林中一隻寒蟬唧唧地飛走了。閉上凹陷的眼睛，他一直忍耐著黑暗的深、濃。在這自己認識的人、自己知道的人都已入睡的夜晚，撕裂般橫過司祭胸中的同樣是一個夜晚的事。和一個人離開了蜷伏、睡在吸了白天熱氣的葛塞馬尼灰色地面的弟子們「死亡般痛苦，滴下血、汗」，司祭現在「思索」那個人的臉。他以前想起過那個人的臉不下數百次；只是像這樣流著汗、痛苦的臉，爲什麼感覺如此遙遠呢？不過！今晚第一次，那臉頰消瘦的表情在眼簾裡成爲焦點。

那個人在那個晚上，是否也預感到神的沉默，而且恐懼、顫慄呢？司祭不想去想它。但是，現在，無意中有一個聲音通過他胸中，司祭猛力搖了兩、三次頭告訴自己：不要聽！茂吉和一藏被綁在木樁、沉下去的雨中的海；追趕小舟的卡爾倍黑色的頭沒多久就氣力用盡、如木片般漂流著的海；從小舟中一個人接一個人垂直落下的海；海，寬廣無邊且哀傷地展開，那時，神在海上也固執地繼續沉默。（爲什麼拋棄我？）突然，這聲音和鉛色的海的記憶一起湧上司祭的心頭。爲什麼拋棄我？星期五的六點鐘，這道聲音從朝向黑暗天空的十字架上響起；長久以來，司祭認爲那是那個人的祈禱，並不認爲那是因神沉默的恐懼而發出的。

神，眞的存在嗎？如果沒有神，那麼自己這半輩子萬里波濤，漂洋過海，把一粒種子帶到這不毛的島上，就非常滑稽。在蟬鳴的正午，人頭落地的獨眼男子的人生也是滑稽的；游泳追趕著信徒們小舟的卡爾倍的一輩子也是滑稽的。司祭面對牆壁笑出聲來。

「神父，有什麼事嗎？」

飲酒作樂的看守們濃重的家鄉口音停止；一個上廁所的人經過門前，隨口問道。

不過，第二天早上，強烈的陽光又從格子窗射入時，司祭恢復了幾分元氣，又從昨夜侵襲自己的孤獨中振作起來。他把兩腳向前伸出，頭靠在木板壁上，以虛幻的聲音唸著詩篇。「達味的詩歌、讚美。我的心已準備妥當。我願意去歌彈詠唱。七絃和豎琴，要奏起來，我還把曙光喚起來，讚美耶和華。」那些詩句是他少年時代每次看到風吹過藍空或果樹時，一定會想起來的聖詩；但是，那時的神，並不像現在是畏懼、懷疑的對象，而是更接近、和這地上相調和能讓人產生生之喜悅的對象。

官吏和看守不時以充滿好奇的眼神窺視他，但司祭連頭也不回。送進來的一日三餐，有時也不吃。

九月，在空氣中感到幾分涼意的某個下午，那個通譯突然來訪。

「喂！今天我帶了一個人來看你。」

通譯仍然嘲笑似地搖著扇子說。

「不不！不是奉行大人，也不是官吏，是你見了包你高興的人。」

司祭默默不語，以不帶感情的眼神注視著對方。仍然淸楚記得通譯那天對自己說的話，但很奇怪地既不憎恨，也不生氣，他甚至連憎恨、生氣的感覺也不想。

「聽說現在連飯也不太吃，」通譯臉上掛著慣有的淺笑，「還是不要鑽牛角尖的好。」

他邊說著，頻頻進出房間，歪著頭。

「轎子來得慢。該是到達的時刻了。」

不管誰來，現在司祭都不感興趣。他只是茫茫然地、好像看某種物體般，眺望著匆忙進出自己與看守房間的通譯的背部。

抬轎的轎夫聲在門口響起，和通譯在小屋外不知交談些什麼。

「神父，我們出去吧！」

司祭默默地站起來，緩緩走出門外。因神經疲勞而變黃濁的眼睛，遇到外面的陽光，感到分外疼痛。二個圍著兜襠布的轎夫，手肱靠在轎上目不轉睛地注視著這邊。

「好重呀！身體這麼胖。」

司祭一上轎，轎夫們馬上就抱怨。爲了掩人耳目放下轎簾，看不見外頭的情景。只聽到各種聲音：有小孩的叫喊聲、僧人的鈴聲、施工的聲音；夕陽透過轎簾，斑斑點點照在他的臉上。不只是聲音，還有各種味道傳來：樹的味道和泥土的味道，雞和牛馬的臭味。司祭閉上眼睛，深深地吸了幾口，雖然短暫卻是活生生的、人的生活氣息。突然，自己也跟大家一樣想找人說話，想聽人說話，想融入這種生活的慾望湧上心頭。對躲藏在放煤炭小屋的日子、在山中流浪害怕被抓到的日子、目睹信徒被殺的日子，已經受夠了。覺得自己已無繼續忍受這些的力氣了。只是，「盡你的心、盡你的魂、盡你的意、盡你的能力」凝視一件事是他當了司祭之後的工作。

單憑聲音就知道轎子已入市內。剛才聽到的是雞鳴、牛叫聲，而現在是急促的步行聲、尖銳的叫賣聲、車輪聲，不知爭吵什麼的口角也透過轎簾傳入耳中。

自己究竟會被帶到哪裡？去跟誰見面呢？司祭已無所謂。無論見誰，反正是以同樣的問法、重複問些和以前一樣的問題；就像調查基督的赫洛德的審問，並不是爲了聽說出的話，只不過是形式上的審問而已。而且，爲什麼井上筑後守不殺自己，也不釋放，而讓我活著呢？現在，他連理由的穿鑿附會也覺得倦怠、慵懶。

「到了！」

通譯邊以手掌擦汗，邊停下轎子，掀起轎簾。司祭走出轎外，不知何時夕陽紅紅地照射著，在牢房看顧他的看守也在那兒，顯然是擔心自己半路逃走。

石階上，有個山門。在夕陽燦爛的山門背後，有座不太大的寺院，後面連接著褐色山崖峭立的山。住持的居室陰暗，有點涼意的地板房間內，二、三隻雞旁若無人地逛來逛去。一個年輕的和尚走出來，以帶著敵意但炯炯有神的目光抬頭看司祭，也沒跟通譯打招呼就走了。

「和尚們不喜歡你們神父喲！」

通譯在地板房間坐下，眼望中庭，高興地說。

「經常獨自面壁對身心是有害的，我跟你說清楚反倒引起無謂的麻煩，眞是不划算。」

對經常嘲笑自己的通譯所說的話，司祭幾乎充耳不聞。倒是他從居室的臭味——在燒香、濕氣和日本人的食物味道——中，不知怎的，他突然嗅出有種異樣的味道摻雜在內。是肉味！由於好久沒吃肉了，對這淡淡的肉味也非常敏感。

腳步聲從遠處傳來。從長廊另一頭緩緩向這邊接近。

「你大概已猜到會和誰見面吧？」

那時，司祭表情僵硬，點點頭。他自己也感到膝蓋不由得在顫抖。他知道總有一天會和他見面，但沒想到是在這種地方。

「差不多可以讓你們見面了吧！」通譯愉快地「欣賞」著司祭顫抖的樣子。「這是奉行大人說的呀！」

「井上大人？」

「是的。不過，對方也很想見你。」

年老僧侶後面，穿著淺灰色衣服的費雷拉低著頭走過來。小個子的老僧抬頭挺胸，而個子高的費雷拉反而低著頭，那樣子顯得格外卑屈。看來就像脖子被繫著繩子，給硬拉過來的大畜牲。

老僧站定，無言地瞄了司祭一眼，在夕陽照射的地板房間盤腿而坐。大家靜默了好一陣子。

「神父！」司祭終於以顫抖的聲音說。「神父」

費雷拉微微抬起頭，瞄了一眼司祭。卑屈的笑意和羞恥同時閃過他的眼睛，之後，挑戰似地故意睜大眼睛俯視這邊。

而司祭呢？他不知該說什麼才好。胸口淤塞，覺得現在不管說什麼都是假的，也不想再刺激一直監視著自己的僧侶和通譯優越者的好奇心。懷念、憤怒、悲傷、怨恨，各種小情感糾結在一起，在心中發出撲通、撲通的聲音。「爲什麼是那種表情？」他在心中叫喊著。（我並非爲了責備你而來，並不是爲了審判你而在這裡的，我不是優越者。）他勉強地想擠出笑容，但是笑容沒出現，不聽使喚的眼淚充滿眼眶，從司祭的臉頰緩緩流下。

「神父，好久……」

終於說出話來——司祭的聲音顫抖。明明知道現在講這種話是多麼滑稽且愚蠢，但除此之外，無話可說。

但是，費雷拉還是沒說話，臉上仍舊掛著挑釁似的淺笑。對費雷拉的表情從微弱、卑屈的微笑，轉變成挑釁的心情，司祭非常了解。就因爲了解，司祭希望就此像朽木般倒下去。

「你，說話──吧！」

司祭以喘著氣的聲音說。

「如果憐憫我，請，說話──吧！」

你把鬍子刮掉了啊！突然，這奇妙的話湧上喉嚨。爲什麼突然會有這念頭產生呢？連自己都不知道。從前，自己和卡爾倍認識的費雷拉老師是蓄著鬍子的，經常梳理得很漂亮。鬍子，使他的臉上產生一種帶有獨特的溫柔和威嚴。可是，現在本來留著鬍子的鼻下和下顎卻光禿禿的。司祭覺得自己的眼睛不聽使喚，老是往費雷拉臉上光禿禿的部分瞧。那裡看來極爲淫猥。

「這時候說什麼才好呢？」

「你在僞裝自己。」

「僞裝自己？沒僞裝的部分怎麼說才好呢？」

通譯擔心會漏聽二人的葡萄牙語，把身體向前移。二、三隻雞拍動翅膀從泥土房間跳到地板房間。

「住在這裡很久了嗎？」

「大約有一年左右。」

「這裡是──」

「叫西勝寺的寺院。」

從費雷拉口中說出西勝寺的發音時，像石像般朝正面而坐的老僧把臉轉過來。

「我也在長崎某處牢房裡，那地點連自己也不知道。」

「我知道，是在名叫外町的郊外。」

「您每天都做什麼呢？」

費雷拉歪著頭，手撫摸著光禿禿的下顎。

「澤野大人每天都在寫書。」

通譯從旁代替費雷拉回答。

「我奉了奉行大人的命令，編寫天文學的書。」費雷拉像要封住通譯的口似地搶先說出來。「是的，我還有用處，對這個國家的人還有用處。日本人對各方面的知識都非常豐富，但是，在天文學和醫學方面像我這樣的西方人還有幫得上忙的地方。當然，這個國家從中國已學到很優異的醫學……不過，如果加上我們的外科，一定不是多餘的。天文學的情形也一樣。因此，我拜訪荷蘭的船長想辦法幫忙購買鏡頭和望遠鏡。我在這個國家，絕非毫無用處。我是這樣地有用處。就是這樣。」

司祭一直注視著費雷拉喋喋不休的嘴角。他不知道對方為什麼突然變得這麼饒舌。不過，他似乎可以理解費雷拉強調好幾次自己還有用處的精神上的焦慮。費雷拉不只是說給他聽。是為了讓通譯和僧侶也聽得到；也為了讓自己說服自己的存在才喋喋不休。

「我在這個國家還有用處。」

在費雷拉說話時，司祭眨著哀傷的眼睛看著他。司祭心想：是的，對人們有益、有用是神職人員唯一的願望、理想。神父們的孤獨是在自己對他人無益時。而已棄教的費雷拉，仍然無法擺脫以前的想法。就像瘋女仍給嬰兒吃乳一樣，看來費雷拉似乎寄託希望在自己對他人有益的回憶上。

「幸福嗎……」

司祭小聲地問。

「誰……」

「你……」

「幸福，」費雷拉眼中又閃過挑釁似的銳利眼神。「因各人的想法而不同吧！」

「從前的你絕不會這麼說吧！」司祭這麼回答之後，就覺得厭倦而閉口不說。自己並不是爲了責備他棄教，或背叛自己的學生才在這裡的。自己無意把手指頭伸入對方不願讓人看見而掩蓋起來的傷口深處。

「是的，他對我們日本人有用。他已改名叫澤野忠庵。」

通譯在費雷拉和司祭之間，對著兩人微笑。

「現在已開始寫另外一本書。是揭發上帝教義和天主教的錯誤與非法的事，我記得書名叫顯僞錄。」

這次，費雷拉無暇插嘴。轉瞬間，他把視線轉到拍打著翅膀的雞身上，裝作什麼都沒聽到的樣子。

「奉行大人也看過稿子，還誇獎寫得很好。」通譯對司祭說。「你在牢裡有空時，也可以看看！」

司祭總算明白剛才費雷拉爲什麼慌忙地搶著回答現在在編寫天文學的理由了。費雷拉因井上筑後守的命令每天面對桌子；費雷拉把自己一輩子信奉的天主教寫成不正當的宗教；司祭眼中彷彿看到拿著筆、佝僂著身子的費雷拉背部。

「好殘忍！」

「什麼事？」

「好殘忍。我覺得比起任何拷問，這種做法是最殘忍的。」

司祭看到轉過臉的費雷拉眼中突然有淚水閃亮。穿著日本的黑色和服，把栗色頭髮繫成日本人的形狀，然後改名爲澤野忠庵……而且現在還活著。主啊！祢還沉默著，對這樣的人生祢還固執地保持沉默。

「澤野大人！我們今天並非爲了這樣的閒談，帶這個神父到這裡來。」

通譯回頭看如石頭佛像般，盤腿端坐在夕陽強烈照射的地板上的老僧。

「哪！老師傅不是有很多事嗎？快點說吧！」

費雷拉似乎已失去了剛才的鬥志。司祭覺得，睫毛裡淚水還閃亮著的這個男人，似乎突然縮小了。

「要我……勸你，棄教！」

費雷拉疲倦似地說。

「你看看這個。」

他默默地指著自己的耳朵後面。那裡有處已成褐色像是被火燙傷的傷痕。

「我記得跟你說過穴吊的刑罰吧！把手腳綁住無法動彈，吊在洞裡。」通譯故意做出恐懼的樣子，張開兩手，「這樣很快就會斃命，因此，在耳朵後面穿個洞，血、一滴一滴地滴下來。這是井上大人想出來的刑罰。」

司祭憶起那張大耳、氣色良好、紅潤的奉行的臉；兩手捧著茶碗慢慢地喝開水的臉：自己一抗辯，很能了解地緩緩點頭，慢慢浮現微笑的臉；赫洛德在那個人受到拷問時，坐在鮮花裝飾的餐桌前吃飯。

「你想想看，到了今天，在這個國家天主教的神父就只有你一人；而你又已被捕，無法把教義散播給百姓。這不就成了無用之身嗎？」

瞇成細眼的通譯聲音突然變溫柔。

「不過，像忠庵大人剛才說的，編寫天文、醫術的書籍，幫助病人，爲他人盡力。應該選擇一輩子在牢房裡度過呢？或是改變方向，棄教、幫助他人呢？這必須仔細考量。老師傅也常常這麼教導忠庵大人的。所謂仁慈之道，結果就是捨棄自我。我卻一味拘泥於宗教的派別。爲他人奉獻自己，這點在佛教和天主教之間並無區別。最重要的是是否行道。記得澤野大人在顯僞錄中也是這麼寫的。」

通譯說完後，轉過頭來催促費雷拉說話。

夕陽充分照射在穿著和服的這位老人扁薄的背部。司祭一直注視著扁薄的背部，傷心地尋找從前在里斯本神學院深受神學生敬愛的費雷拉老師的影子。很奇妙地，現在並無輕蔑之意，只有類似看著行屍走肉的憐憫充塞胸中。

「二十年了，」費雷拉低下頭，微弱地說。「我在這個國家傳教二十年了。對這個國家，我比你清楚。」

「在那二十年，你身爲耶穌會教區長，繼續著輝煌的工作。」司祭激勵對方，提高聲音。「我們懷著敬意拜讀你寄到耶穌會本部的書信。」

「然而，在你眼前的是在傳教中失敗的老傳教士。」

「並未在傳教中失敗。你和我死後，又會有一個新的神父從澳門搭乘帆船，偷偷地在這個國家的某處登陸吧！」

「他一定會被逮捕的！」通譯突然從旁插嘴進來。「每次被捕，日本人又要流血。就因爲你們自私的理想，日本人又要死了，這句話到底要我講幾次你們才明白呢。已經到了不要管我們的時候了！」

「我傳教了二十年！」費雷拉以不帶感情的聲音反覆著同樣的話。

「了解到的是，在這個國家，你和我們的宗教終究無法生根。」

「並非無法生根。」司祭搖搖頭，大聲叫著。「而是根被切掉了。」

但是，費雷拉並未因司祭大聲說話而抬起頭來，仍舊低著頭，就像毫無感情、全無意志的木偶。

「這個國家是沼澤。不久你也會明白的。這個國家是比想像中更可怕的沼澤地。無論哪一種苗，只要種在那沼澤，根就開始腐爛，葉變黃而枯萎。我們在這沼澤地種植了名爲天主教的樹苗。」

「那樹苗也有過生長、枝葉茂盛的時期。」

「什麼時候？」

費雷拉這時才望著司祭，瘦削的臉頰上浮現出淺笑。那淺笑好像憐憫不懂世事的青年。

「您來到這個國家的時候，這個國家到處都蓋有教會，信仰就像早上的鮮花散發出香味，許多日本人，就像猶太人聚集到約旦河，爭著受洗。」

「可是，那時日本人信仰的已不是天主教的神……」

費雷拉緩緩地說出這句話。臉頰上仍殘留著憐憫的微笑。

司祭感到一股莫名的怒火自心底湧上來，不由得握緊拳頭，拚命地提醒自己要保持理性，不可以被這種詭辯欺騙。失敗的人，爲了自我辯解，什麼樣的自我欺瞞都做得出來。

「您連不能否定的都想否定。」

「不是。這個國家的人，那時候信奉的並不是我們的神，而是他們的神。在好長、好長的時間裡，我們都不知道這事實，誤以為日本人變成了天主教徒。」費雷拉疲倦地坐到地板上。和服的下襬散開，露出骨瘦如柴的赤腳，「我並不是要你辯解或想說服你才這麼說。恐怕沒有人會相信這句話。不只是你，在臥亞和澳門的傳教士們，西歐教會的所有司祭們都不會相信。而我是在傳教二十年之後才了解日本人，才知道我們所種植的樹苗的根部，在不知不覺中已逐漸腐爛。」

「聖方濟・薩比耶爾，」司祭忍不住打斷對方的話。「在日本時，絕對沒有那種想法。」

「連那個聖人，」費雷拉點點頭。「也從未察覺到。然而，聖薩比耶爾神父所教的上帝，日本人任意把它改變成大日的信仰。崇拜太陽的日本人，上帝和大日的發音幾乎一樣。你沒唸過薩比耶爾發現那錯誤的書信嗎？」

「如果薩比耶爾有好的通譯陪伴他，就不會發生那種無聊的小誤解了！」

「不！你根本不了解我的話。」

費雷拉顴骨附近出現神經質的焦躁，反駁說。

「你什麼都不了解。連從澳門、臥亞的修道院來考察這個國家傳教情形的人也都不了解。把上帝和大日混在一起的日本人，把我們的神依他們的方式扭曲、變化，製造出另一種東西。語言的混亂消失之後，這種扭曲和變化仍然悄悄地進行，即如你剛才說的傳教最興盛的時期，日本人信仰的不是基督教的神，而是他們扭曲後的東西。」

「把我們的神扭曲、變化，製造出別的東西……」司祭咀嚼費雷拉的話，重複說。

「那也還是我們的上帝呀！」

「不對！基督教的神，在日本人心中，不知何時已喪失神的實體。」

「你說什麼?!」

在泥土房間安靜地啄食的雞，被司祭大聲一喝，嚇得急拍翅膀，逃到角落裡。

「我要說的很簡單；你們只看到傳教的表面，並未考慮到它的本質。沒錯！在我傳教的二十年，如你所說，在京都、大阪、九州、中國地方②、仙台建了許多教會；在有馬③、安土④設了神學院，日本人爭相成爲信徒。你剛才說日本的信徒有二十萬人，其實，不只這些。我們曾經擁有過四十萬的信徒。」

「你可以引以爲傲呀！」

「引以爲傲？如果日本人信仰的是我所傳教的神就能引以爲傲；可是，在這個國家，日本人在我們所建的教會裡祈禱的不是天主教的神，這是我們無法理解的，他們以自己的方式扭曲了的神不是我們的神，」費雷拉低下頭，想起什麼似地動了動嘴唇。

「不！那不是我們的神，而是和掛在蜘蛛網上的蝶一模一樣。起初，那隻蝶的確是蝶！

但是翌日，外表上雖有蝶的翅膀和胴體，其實是已失去實體的屍骸。我們的神，在日本就和掛在蜘蛛網上的蝶一模一樣，只有外形和形式像神，其實已無實體的屍骸。」

「沒有這回事。我不想再聽這種傻話。我在日本雖然沒有你那麼久，但是，我的確親眼看過殉教者。」司祭用手遮住臉，聲音從手指間洩出。「我這雙眼睛看過他們確實在信仰中掙扎而死。」

雨天的海、浮在海上的二根木樁的回憶在司祭心中沉痛地甦醒。他忘不了獨眼男子在艷陽高掛的正午如何被殺。把越瓜給自己的女人，被用蓆子捲起沉入海底的情況和記憶也牢牢嵌入腦海裡，如果說他們不是爲信仰而死，那是對人的多麼大的冒瀆！費雷拉在說假話。

「他們信仰的不是天主教的神。日本人以前——」費雷拉充滿自信，下斷言般一個字一個字有力而淸晰地說：「沒有神的概念，今後也不會有。」

這些話重如無可撼動的岩石，壓在司祭胸口。那種震撼就跟自己幼小時，第一次知道神的存在時一樣。

「日本人並未具備會思考和人類完全隔絕的神的能力。日本人也沒有思考超越人類存在的能力。」

「天主教和教會是超越所有國家和土地的眞實，否則，我們的傳教有何意義呢？」

「日本人把經過美化、渲染的人稱爲神。把跟人同樣存在的東西叫作神；但是，那並不是教會的神。」

「二十年來，你在這個國家所了解的就是這些？」

「就是這些。」費雷拉寂寞地點點頭。「因此，我認爲傳教已無意義。帶來的苗木，在稱作日本的這沼澤地不知何時根部已腐爛了。好長一段時間，我沒察覺到，也不了解。」

費雷拉最後所說的這些話，包含著連司祭也無法懷疑的痛苦和絕望。夕陽已失去剛才的威力，陰暗已偷偷溜入泥土房間的角落。司祭聽到遠處敲木魚的單調聲，和僧侶們哀傷的唸經聲音。

「你，」司祭對著費雷拉說：「已經不是我所認識的費雷拉老師了！」

「是。我已不是費雷拉。我是奉行賜名爲澤野忠庵的男人。」費雷拉低著頭回答。

「不只是姓名，他還把被處死刑的遺孀和孩子也賜給我。」

午後十時，司祭坐上轎子，在官吏和看守陪同下踏上歸途。夜深了，不見行人的影子，不用擔心轎內的人被看到。官吏允許司祭掀起轎簾。想逃的話，可能逃得了，但是，司祭現在沒有那氣力。路狹窄又曲折，看守告訴他這是叫內町的地方，淨是些木板小屋的民房擠在一起。出了這區域，看到的是寺院長長的圍牆和雜樹林，可見長崎的城市型態尚未完全形成。懸掛在黑漆漆的樹梢上的月亮，好像跟隨轎子向西移動。月色看來淒涼、可怕。

「心情舒暢了一點嗎?」

跟著轎子的官吏，邊走邊關心地問。

到達牢房，司祭向官吏和看守客氣地道謝後走入地板房間。背後傳來看守跟往常一樣上鎖的低沉聲音。感覺上似乎離開這裡好久之後才回來。雜樹林中山鳩不時的鳴叫聲，也好像好久沒聽到了。今天這一日，好像在牢房的十日那麼冗長、痛苦。

終於遇到費雷拉這件事並未使司祭震驚。那個老人變成現在那樣子，現在回想起來，自己到日本之後，也曾想像過；當憔悴的費雷拉穿著和服，步履蹣跚地從走廊那一頭出現時，自己內心並未引起太大的震撼和驚愕。那種事，現在都無所謂，都無所謂。

(可是，他所說的到底有多少眞實呢?)

從格子窗瀉入的月光照射在司祭瘦弱的背部，他面對木板牆壁端坐著。費雷拉是否爲了自己的軟弱和過失才說出那樣的話來辯解呢?對，一定是那樣，司祭對自己這麼說;但同時也有種不安，或許他說的話是眞實的。費雷拉稱日本爲無底的沼澤地。樹苗在這裡根會腐爛、葉會枯萎。

「天主教之所以滅亡，並不是你們認爲的是因爲受到禁止或迫害的緣故。這個國家存在著無論如何都無法接受天主教的某種東西。」

費雷拉的每一句話，像針一樣刺入司祭耳中。你們信奉的神，在這個國家就像倒吊在蜘蛛網上的昆蟲屍骸，只有外形，已失去了血和實體。只有說那些話時，費雷拉的眼中才閃亮出熱烈的光。不知怎的，他的表情讓人感受到一種不像是失敗者自我欺瞞的眞實感。

從中庭傳來看守小解完畢後的腳步聲。腳步聲消失後，黑暗中聽得到的只有金龜子長長的嘶啞聲。

「不可能的，那是不可能的。」

司祭當然沒有足以否定費雷拉的話的傳教經驗。可是，他要是否定，就會使來到這國家的自己喪失意義，他用頭「空、空」地碰撞牆壁，單調地自言自語。不可能的，那是不可能的。

那樣的事是不可能的！人不可能爲虛假的信仰而犧牲自己。自己親眼看到的農民、貧窮的殉教者，那些人如果不相信救贖，怎麼可能在下著毛毛雨的海中，像石塊沉下去呢？那些人不管從哪一個角度來看，都是信仰堅定的信徒、教徒！那信仰儘管質樸，但灌輸這信念的不是日本的官吏或佛教，而是教會。

司祭聯想到費雷拉那時的悲傷。費雷拉在他的話中連一次也沒談到日本貧窮的殉教者。他是有意想避開這點。他故意輕視不像自己的其他強者——經得住拷問或倒吊的人。費雷拉希望跟自己一樣的弱者增加，希望有人能分享孤獨和軟弱。

在黑暗中，司祭想著：今晚，現在費雷拉已睡著了嗎？不！他一定還沒睡，那個老人，現在一定跟自己一樣在這個城市的某處，在黑暗中眼睛睜得大大的，咀嚼著深深的孤獨吧！那孤獨比起現在自己在牢房裡體驗到的寂寞更冷酷、更可怕。他不只背叛了自己，而且爲了在自己的軟弱上添加軟弱，他企圖把別人也拉下去。主啊！祢不拯救他嗎？祢朝著猶大說：去吧！去做你想要做的事！難道你要把那個男人趕到被祢捨棄的人群裡頭嗎？

司祭將費雷拉的孤獨和自己的寂寞，做這樣的比較時，發出了能滿足自尊心的微笑。然後，他在冷硬的地板房間躺下，靜靜地等候睡意來訪。

譯註

①指蒲生氏鄉，安土桃山時代武將，仕織田信良、豐臣秀吉。領有會津九十一萬石餘。受洗爲天主教徒。

②指岡山、廣島、山口、島根、鳥取五縣。

③現已併入神戶市。

④現滋賀縣蒲生都安土町。

沉默

8

遠藤周作

第二天，再度來訪的通譯說：

「怎麼樣？考慮過了嗎？」

他的語氣不像往常貓捉老鼠那樣，表情僵硬。

「如澤野所說，無用的逞強不要繼續下去的好。我們並不要求你眞心棄教，只要表面上宣稱棄教就行了，其他的就隨你高興了。」

司祭注視著牆壁上的一點，仍然沉默著。通譯的饒舌就像廢話般過耳不入。

「喂！不要再增添我的麻煩。我是誠心拜託你。說眞的，我自己也難過。」

「爲什麼不把我穴吊呢？」

「奉行大人經常說，能夠以理說服的，就盡量和他講理。」

司祭兩手放在膝上，像小孩一樣搖搖頭。通譯深深地吐口氣，好一陣子都沒說話，一隻蒼蠅嗡嗡地飛過來飛過去。

「是嗎……那就沒辦法了。」

還坐著不動的司祭耳中聽到上鎖的鈍重聲。從那鈍重聲，很淸楚知道一切的勸服行動在這瞬間都結束了。

他不知能忍耐多久的拷刑。但是，衰弱的身心不知怎的，對於拷刑竟產生不了如在山中流浪時的恐懼感。一切都覺得慵懶無力，甚至覺得早一日死亡，是唯一可以逃避這痛苦、緊張日子的方法。現在連對於活著、對於神、信仰的煩惱都感到倦怠。他暗自企盼著身心的疲倦能讓自己早點死亡。眼前浮現出沉入海中的卡爾倍的頭。他羨慕那個同事，他羨慕早就從這樣的痛苦解脫的卡爾倍。

如預料中，第二天早餐就沒供應了。近午時刻，鎖被打開了。

「出來！」

從未見過的上半身裸露的高大男人，頤指氣使地說。

一走出房間，這個男人馬上把司祭的雙手綁到背後。繩子緊緊綁住手腕，只要身體稍微動一下，就會痛得從咬緊的牙關中迸出聲音來。這個男人在綁繩子的時候，用司祭聽不懂的話大罵。終於一切都快結束了，這種感覺通過司祭全身；這是從未體驗過的很奇妙的清冽、新鮮的興奮。

司祭被拖到外面；在陽光照射的中庭，有三個官吏、四個看守，還有通譯排成一列注視著這邊。司祭朝那方向——故意對著通譯做出勝利的微笑；同時，突然發覺到，人不論面臨何種事態，都擺脫不了虛榮心，也爲自己還有心情想這種事而感到高興。

大個子男人輕易地把司祭抱上無鞍的馬背上。說牠是馬，其實更像醜陋的瘦驢子。牠步履不穩地走起來，官吏、看守、通譯們徒步跟在後面。

路上已聚集了許多日本人，等候一行人通過，司祭露出微笑俯視他們；有因驚訝嘴巴張得大大的老人、啃著瓜的小孩抬頭傻笑地看這邊，和當視線接觸時突然害怕得向後退的女人；陽光在這些日本人臉上，照出各種陰影；突然有褐色的塊狀物朝耳根飛過來，不知是誰把馬糞丟過來。

司祭下定決心不讓微笑從嘴角消失。自己現在騎在驢背上，走在長崎的街道；騎在驢上的那個人也進入耶路撒冷。忍耐得了侮辱和輕蔑的臉，是人類表情中最高貴的——這是那個人告訴他的。自己到最後一刻，都要保持這種表情。司祭認爲這種臉，就是在外國人當中的天主教徒的臉。

一群明顯露出敵意的僧侶聚集在大樟樹的蔭下；他們等到司祭的驢子接近時，舉起棍子做出恐嚇的樣子。司祭偷偷地從站在兩側的人臉上，找尋像天主教徒的臉，結果是白費心思。每個人的表情不是敵意、憎恨，就是好奇。因此，當他的目光與其中像狗一樣充滿乞憐的目光相遇時，身體不由得一震；那是吉次郎！

衣衫襤褸的吉次郎站在前排等待著一行人到來。他的視線一和司祭接觸時，馬上低下頭，迅速躲入人群當中。但是，司祭在步履不穩的驢背上知道那個男人不管到哪裡都會跟過來。那是在這些外國人當中，他唯一認識的男人。

（好了！好了！我已經不生氣了，主大概也不生氣了吧！）

司祭像在告解後安慰信徒般，對吉次郎點點頭。

根據記錄，帶著司祭的一行人是從博多町經勝山町，再通過五島町。依奉行所的慣例，傳教士被捕處死刑的前一天，在長崎市街遊行示衆。一行人走過的是叫作長崎內町的舊市街，都是些住家多、行人來往熙攘的地方。通常在遊街示衆的第二天就處刑。

當長崎屬大村純忠時代，開港之初，五島町是五島移民聚居的區域；從這裡眺望午後陽光照耀的長崎灣，一覽無遺。尾隨一行人之後來到這裡的群衆，就像祭典時人潮洶湧爭看奇怪的洋人被縛騎在馬上。司祭每次扭動不自由的身體時，就響起一陣大嘲笑聲。

雖然努力想擠出笑容，但臉已僵硬。現在除了閉上眼睛，盡量不看嘲笑自己的臉、齜牙咧嘴的臉之外，別無他法。從前，聽到包圍比拉特宅邸的群衆的叫喊和怒罵聲時，那個人是否也微笑相向呢？我想可能連他也辦不到。Hoc Passionis tempore（在這受難時候）從司祭嘴唇發出小石子般的祈禱聲，但停了一會兒。Reisque dele crimna（寬恕罪人）他好不容易講出下一句。每次身體扭動時，繩子深入手腕的痛苦他已經習慣了；他難過的是，他無法像那個人一樣還愛著朝自己叫嚷的群衆。

「神父，你看！沒有人來救你。」

不知何時通譯已跟在馬旁，抬頭看著這邊叫著。

「左右淨是嘲笑你的聲音。聽說你是爲了他們才來到這個國家，可是，沒有人需要你。你是無用的人！」

「人群當中會有的。」司祭從馬背上第一次以充滿血絲的眼睛瞪著通譯大聲回答。

「默默祈禱的人！」

「到了這地步，你還嘴硬什麼？我告訴你，長崎從前有十一個教會二萬信徒。現在都不知躲到哪裡去了。現在這些人裡頭或許有曾經是信徒的人，但卻藉著大聲辱罵你來告訴周圍的人我不是天主教徒。」

「不管怎麼辱罵我，只會增加我的勇氣罷了……」

「今天晚上，」通譯笑著用手掌噼哩啪拉地打馬腹，「你聽清楚了，今天晚上，你會棄教的。井上大人很肯定地這麼說。到今天爲止，當井上大人要神父們棄教時，從未有過例外。澤野那次是如此……而你這次……」

通譯充滿自信地緊握雙手，悠悠然地離開司祭。澤野那次是如此，只有最後說的話，仍清楚留在司祭耳中。在無鞍馬上的司祭，身體震動了一下想趕走那句話。

午後陽光閃爍的港灣前方，一大塊積亂雲鑲著金色的邊緣湧上來。雲，不知怎的，宛如空中的宮殿，又白又大。以前也曾眺望過無數次積亂雲，但從未有過像現在的心情。他現在才體會出日本的信徒從前唱的那首歌是多麼好聽、動人。「走吧！走吧！到天國的教堂去吧！天國的教堂，遙遠的教堂……」那個人也有過像現在的自己顫抖、咀嚼著恐懼的經驗，這事實卻變成他現在唯一的依賴，而且還有一種不只是自己這樣的喜悅產生！被綁在木樁上的那兩個日本百姓，在這海中、一整天飽受同樣的痛苦之後，到「遙遠的教堂」去了。自己與卡爾倍和他們有所關連，而且和十字架上的那個人結合的喜悅，突然強烈拍打著司祭的心。這時，那個人的臉，以從未有過的鮮明影像向他逼近。那是痛苦的基督！忍耐的基督！他在心中祈禱自己的臉和那張臉馬上接近。

官吏們揚起鞭子把部分群衆趕向兩旁。像蒼蠅般聚集過來的他們，溫順、靜默，以不安的眼光目送一行人踏向歸途。午後總算結束，和黃昏的陽光融解在一起，斜坡路左邊紅色的大寺院屋頂閃爍發亮。市區附近的山巒更是清晰可見。即使這時，仍有馬糞和小石頭飛過來打到司祭的臉頰。

走在馬旁的通譯，教訓似地反覆說：

「哪！不勉強你說不好聽的話，拜託你，只要講一句棄教就行了。這匹馬就不會再回到你住的牢房。」

「要帶我到哪裡去呢？」

「奉行所。我不想讓你受苦。拜託你，不用說不好聽的話，只請你講一句棄教，好嗎？」

司祭在無鞍的馬上咬著唇，默默不語。向從臉頰流到下顎來。通譯低著頭，一隻手按在馬腹上，寂寞地繼續往前走。

有人從背部一推，司祭一腳踏進黑漆漆的圍牆內時，突然，一陣惡臭撲鼻而來，是尿臭味！地板都被尿弄濕了，他暫時靜止不動，把嘔吐的感覺給壓制下來。過了一會兒，在黑暗中總算分得出牆壁和地板，手按在牆壁上才一走動就碰到另一道牆壁。司祭張開兩手，指尖同時碰到牆壁。於是他知道這圍牆的大小。

豎耳傾聽，聽不到談話聲。看不出這裡是奉行所的哪個地方。不過四下寂然無聲，似乎附近沒住著人。牆壁是木材質料，用手撫摸一下，指尖感到有深深的裂縫，本來還以爲是木材之間的接縫；其實不是，似乎是什麼花紋，再仔細撫摸，才明白那是個L字，其次是A字。LAUDATE EUM（主啊！讚美祢。）司祭像盲人一樣用手掌觸摸那附近，但除了這二個字之外，指尖就碰不到任何東西。可能是有傳教士被關進這裡，替以後的人在牆壁上刻上拉丁語吧！可以肯定的是那個傳教士被關在這裡時絕未棄教，信仰堅定。這件事使得在黑暗中孤獨的司祭感動得快要哭出來，他認爲自己能夠以某種形式堅持到最後。現在也不知是深夜幾點。被拉去遊街示眾之後，在帶到奉行所的長時間裡，通譯透陌生官吏重複問著老問題，從哪來的，所屬教會在哪裡，澳門有幾個傳教士。不過他們已不再勸他棄教了。連通譯的表情跟前一陣子判若兩人，毫無表情，一副照章行事的臉孔翻譯著官吏說的話。另一個官吏用一大張紙作記錄。這種笨拙的審問結束後，才被帶到這裡來。

把臉貼在刻有LAUDATE EUM字的壁上，他像往常一樣在心中描繪著那個人的臉。如年輕人在遙遠的旅次描繪知心朋友的臉；司祭老早就養成在孤獨的時刻，想像著基督的臉的習慣。但是，被捕之後——在牢房裡尤其是雜樹林中樹葉發出摩擦聲的晚上，更由於別的慾望，那個人的臉在心裡烙下深刻的印象。那張臉，現在，在這黑暗中就在他眼前，默默地，但卻以溫柔的眼神凝視著自己。（你痛苦的時候，）那張臉似乎在訴說著。（我也在旁邊跟著痛苦，我會陪伴你直到最後。）

司祭想起這張臉的同時也想起卡爾倍。（很快又可以和卡爾倍在一起吧！）晚上追趕著小舟沉入海底的那個黑色的頭，常在夢中出現。每次，都覺得拋棄信徒的自己極爲可恥。有時，他受不了那種羞恥，決定不想卡爾倍。

有聲音從遠處傳出。很像是二隻狗在打架的吠聲，但豎耳傾聽時，那聲音消失了，過了一會兒又傳出，且持續很久。司祭不由得笑出聲來。因爲他聽出那是打鼾聲。

（喝了酒的牢吏正熟睡著！）

鼾聲繼續了一陣子又停了，忽高忽低，聽來像很差的笛子。自己這黑暗的圍牆內面臨著死亡，嘗受著錐心的痛苦時，別人卻悠閒地打鼾，不知怎的，感到無可忍受的滑稽。他又小聲地笑了。人生爲什麼會發生這樣的惡作劇呢？

（通譯斷言自己今晚會棄教；如果他知道我現在的決心呢？）

想到這裡，司祭的頭稍離牆壁，臉頰上自然露出微笑。宛如看到了打鼾的牢吏無憂無慮的臉。

「從那鼾聲知道他連作夢都沒想到我會逃走。」

司祭現在毫無逃亡之意，只是爲了排遣心情，用雙手推一下門看看，門從外側牢牢拴住，絲毫動彈不得。

雖然理智上知道死亡已迫近了，但很奇妙，情感上卻沒有相同的感受。

不！死亡仍然迫近了。鼾聲一停止，夜的淒涼寂靜包圍著司祭。夜的寂靜並非毫無聲息。黑暗如掠過樹林的風一般，死亡的恐懼突然襲上司祭的心頭。他雙手緊握，「啊——」地大聲叫喊。恐懼如退潮般消失，然後又湧過來。拼命地想向主祈禱；但斷斷續續掠過心頭的卻是「流著像血的汗」的那個人扭曲的臉。現在，那個人跟自己一樣嘗受著死亡的恐懼，這事實也安慰不了自己。用手擦拭額頭，爲了排遣心情，司祭在這狹窄的圍牆內踱來踱去，因爲他不能不動動身子。

終於聽到遠處有人聲傳出。縱使那是從現在起要審問自己的獄吏，也勝過這如刀刃般冰冷的黑暗。司祭急忙把耳朵貼到門口，想聽淸楚那聲音。

那聲音準是在罵人。在斥罵聲中，夾雜著哀求的聲音。他們在遠處爭論著，然後，向這邊走過來。司祭耳中聽著那聲音，心中突然想起別的事：黑暗令人感到害怕，是因爲我們還殘留著從前沒有燈光時原始人出自本能的恐懼——這種糊塗的想法。

「告訴你快滾吧！」一個男人斥責對方。「不要不知好歹！」

挨罵的男人哭著叫喊：

「我是天主教徒，讓我見神父！」

他還記得這聲音，是吉次郎。「讓我見神父吧！」

「囉嗦！再這樣我要揍人了！」「你打吧！打吧！」聲音像繩子扭在一起，還有別的男人也加入爭執。「是什麼人？」「哎啊！原來是腦筋有問題的人。昨天就到這裡來的乞丐，還說自己是天主教徒。」

突然，他聽到吉次郎大聲叫喊著：

「神父，請原諒我！我爲了要懺悔跟到這裡來，請原諒我吧！」

「你胡說什麼？不要不知好歹！」

吉次郎挨了獄吏的揍，傳出像樹木折斷的聲音。

「神父，原諒我！」

司祭閉上眼睛，在口中唸著告解的奧蹟的祈禱詞。舌尖仍有苦味。

「我天生是個懦弱的人，精神軟弱的人，連殉教都辦不到，怎麼辦才好呢？哎呀！爲什麼我會出生到這世界上來呢？」

聲音如風般中斷，又飄遠。回到五島時，深受信徒歡迎的吉次郎的影子突然浮現眼前。如果不是出生在受逼迫的時代裡，那個男子無疑是個開朗、詼諧的天主教徒，度過他的一生。「這樣的世界……這樣的世界！」司祭把手指塞入耳中，忍受著如犬吠的哀叫聲。

剛才自己替吉次郎做了寬恕的祈禱，但那祈禱並非發自心底。那是從身爲司祭的義務說出的。因此，還有像苦東西的渣滓，仍殘留在舌尖。現在已不恨吉次郎了，可是出賣自己的那個男人讓自己吃了的魚乾味道，口渴如燃燒般的回憶深深烙在記憶中。雖然沒有憤怒和憎恨，但輕蔑的心情到底拂拭不去。司祭仍然咀嚼著基督對猶大說的那句輕蔑的話。

這句話是他從前每次讀聖經時都無法釋懷，而耿耿於懷的。不只是這句話，他眞不明白在那個人的人生當中，猶大扮演的是何種角色？那個人爲什麼把終究會背叛自己的男子也納入弟子之一呢？猶大似乎是爲了那個人的十字架而存在的傀儡。

而且……而且，如果那個人就是愛，那麼，爲什麼最後還把猶大拋開呢？讓猶大在血田上吊，沉入永遠的黑暗，而置之不理呢？

這些疑問，在唸神學院時，在當了司祭之後，如浮在沼澤的污濁水泡般浮上意識。每次，他都不希望那水泡的影子落到他的信仰上面，然而，現在，他已感到無法拭去的迫切感逼近。

司祭搖搖頭，嘆息。最後裁判的時刻終於到來。人無法完全了解聖經中的神秘。但是，司祭想知道，想知道個透徹。「今晚，你一定會棄教的！」通譯充滿信心地說。活像那個人對著伯多祿所說的：「今夜在雞鳴之前你會三次否認我。」黎明尙遠，雞鳴時刻未到。

噢！鼾聲又響起。有如風車藉著風力旋轉。把屁股往被尿濕的地板坐下，司祭像傻子般發笑。人，是多麼奇妙的動物。那發出忽高忽低愚蠢鼾聲的無知者，感受不到死亡的恐怖，能夠像豬一樣睡得爛熟，張大嘴巴打鼾。眼前彷彿看到熟睡著的看守的臉。那是酒喝得紅紅的、吃得胖胖的健康的臉，也因此，對犧牲者而言是極爲殘酷的臉。不是貴族式的殘忍，而是下階層的男人對比自己更差的家畜或動物的殘忍，那看守無疑具有這種殘忍。自己在葡萄牙的故鄉也見過那樣的男人。這個看守不會思考現在自己要加入他人身上的行爲是多麼令人難過，而殺了那個人——在人類夢中，最美與最善的結晶——的正是這種人。

然而，現在在自己的人生當中，最重要的這個晚上，卻混雜著這種粗俗、惡劣、不諧調的聲音，司祭遽然感到憤怒，甚至覺得自己的人生被愚弄。他停止發笑後，用拳頭敲打牆壁。就像在凱西馬尼園對那個人的苦惱毫不關心而呼呼大睡的弟子們一樣，看守並沒有起來。司祭開始更激烈地敲打牆壁。

是打開門栓的聲音，急促的腳步聲由遠而近。

「神父，怎麼了？怎麼了？」

是通譯的聲音，像貓捉弄老鼠的聲音。

「很可怕是嘛！哎呀！不要再逞強了。只要說一句棄教一切就都舒服了。緊張的心情可以得到鬆弛……會變得舒服……舒服……舒服的。」

「我只是討厭那鼾聲。」司祭在黑暗中回答。

突然，通譯驚訝地默默不語。

「那是鼾聲？那聲音，澤野大人你聽到了嗎？神父說那是鼾聲。」

司祭不知道費雷拉站在通譯後面。

「澤野大人，現在可以告訴他了！」

很久很久以前，司祭每天聽到的是費雷拉微弱而悲傷的聲音。

「那不是鼾聲。是被處穴吊的信徒的呻吟聲！」

費雷拉像老邁的野獸蜷縮著身子，一動也不動。通譯就是通譯，把耳朵貼在門栓拴得緊緊的門上，靜聽裡面的動靜，許久之後，確定再等下去也不會聽到任何聲音，才以不安而嘶啞的聲音說：

「不會是死了吧？」他咋了咋舌頭，「不！不！天主教不允許以自己的手結束上帝所賜的生命。澤野大人，接下來是你的工作了。」

通譯轉過身，發出的腳步聲向黑暗中消失。那腳步聲完全消失後，費雷拉仍默默不語，蜷伏著一動也不動。費雷拉的身體像亡魂般浮上來，他的身體薄如紙，看來小得像小孩，感覺上似乎手掌都能握住。

「喂！」他把嘴巴貼在門上，「喂！你聽著吧！」

沒有回答，費雷拉又重複了一次同樣的話。

「在那牆壁上……應該有刻著字：LAUDATE EUM（主啊！讚美祢！）要是還沒消失，右邊的牆壁上……對了，是在正中央，請你摸看看！」

可是，裡面沒有反應。司祭被關著的圍牆裡，似乎充滿著衝不破的黑暗。

「在這裡，我也和你一樣，」費雷拉一句一句地分開說。「在這裡，我也和你一樣被關著，那一夜，比任何一夜都寒冷、黑暗。」

司祭以頭部用力頂著壁板，茫茫然地聽著老人的告白。即使老人不說，那一夜是多麼黑暗，司祭已了解得非常透徹了。更重要的是，他不能向費雷拉的引誘——強調自己也同樣在這黑暗中被關過，想引起共鳴的費雷拉的引誘——投降。

「我也聽過那聲音，被處穴吊的人的呻吟聲。」

他的話一說完，像打鼾、忽高忽低的聲音又傳入耳中。不！那不像是打鼾的聲音，是被倒吊在洞裡的人氣力衰竭、時斷時續的呻吟聲，司祭現在也明白了。

當自己蹲在這黑暗中時，有人從鼻子和嘴巴中流血、呻吟。自己沒察覺到，也沒有祈禱，還笑著呢。想到這裡，司祭的意識已經模糊不清。自己還覺得那聲音好滑稽而笑出聲來，驕傲地以爲只有自己在這夜晚和那個人同樣受苦。然而，爲了那個人比自己受更大痛苦的人就在旁邊。（爲什麼會有這種傻事？）腦中，另一種聲音說著。（虧你還是司祭呢！也算是替別人受苦的司祭嗎？）他想大叫：主啊！爲什麼，到了這瞬間，祢還要捉弄我呢？

「LAUDATE EUM（主啊！讚美祢！）我把那文字刻在牆壁上。」費雷拉重複說。

「找不到那些字嗎？請你找找看。」

「我知道了！」

憤怒的司祭開口喊道。

「不要說了，你沒有說這話的權利。」

「沒有權利？我的確是沒有權利。我整晚聽那聲音，已無法讚美主。我棄教並不是因爲被處吊刑。我被倒吊在塞滿穢物的洞中……三天，從未說過一句背叛神的話。」

費雷拉吼叫著。「我棄教是因爲，請你注意聽！後來被關入這裡，耳中聽到那呻吟聲，神卻一點表示都沒有。我拚命地祈禱，但是神沒有任何表示。」

「閉嘴！」

「那麼，你就祈禱吧！那些信徒們正忍受著你們不知多難以忍耐的痛苦。從昨天開始，剛才、現在這時刻都受著苦。他們爲什麼非這麼痛苦不可呢？儘管如此，你並沒有爲他們做什麼，神不也沒有表示嗎？」

司祭發瘋似地搖頭，把手指塞入耳中。但是，費雷拉的聲音、信徒的呻吟卻毫不留情地從耳朵傳進來。夠了！夠了！主啊！現在正是你應該打破沉默的時候，已經不能再沉默了。證明祢是正的，是善的，是愛的存在，要向地上的事物和人類明白顯示祢是莊嚴的，非說話不可了。

如掠過桅桿的鳥翼般大小的黑影通過司祭的心。鳥翼載來了幾段回憶，帶來了信徒們的各種死亡。那時神也沉默著。在下著毛毛雨的海上也沉默著。在太陽垂直照射的庭院裡獨眼男子被殺時神也沒說話。可是，那時，自己還忍耐得住。說是忍耐得住，其實是盡量把這可怕的疑問推得遠遠的，不想正視它。可是，現在不一樣了。這呻吟聲在訴說著：現在，祢爲什麼還沉默著呢？

「在這中庭，現在，」費雷拉悲傷地說，「三個可憐的百姓被倒吊著。每一個都是你關進來之前就被吊了。」

老人並未說謊。注意聽時，以爲只有一個的呻吟聲突然變成不同的聲音。並非一個聲音忽高忽低，而是低的聲音和高的聲音從不同方向傳來混在一起。

「我在這裡度過的晚上，有五人被穴吊，五個聲音在風中糾纏傳入耳中。官吏說，只要你棄教，那五個人會馬上從洞中解下，鬆開繩子，敷上藥。我回答：那些人爲不麼不棄教呢？官吏笑著告訴我：他們已說過幾次要棄教，但是只要你不棄教，那些百姓就不能得救。」

「你應該祈禱的！」司祭哭泣的聲音說。

「我祈禱了，我不停地祈禱。但是，祈禱並不能減輕他們的痛苦。那些男人的耳後穿有小洞，血從那小洞和鼻子、嘴巴流出來。那種痛苦我親身經歷過，所以很清楚。祈禱並不能減輕痛苦。」

司祭還記得，還淸楚記得第一次在西勝寺見面時，費雷拉的太陽穴有類似被燙傷的傷口。那褐色的傷口，至今仍深印腦海裡。爲了驅逐那影像，他用頭在牆壁上碰撞。

「那些人將獲得永生的喜悅！」

「不要欺騙自己了！」費雷拉靜靜地回答。「你不能以美麗的話來掩飾自己的軟弱。」

「我的軟弱?!」司祭搖搖頭，但沒有信心。「不是，我相信那些人會得救。」

「你認爲自己比他們更重要吧！至少認爲自己的得救是重要的吧！你如果說出棄教，那些人就可以從洞裡回來，從痛苦中獲救。雖然如此，你還不棄教，因爲你覺得爲他們背叛教會是很可惜的，像我這樣變成教會的污點是可怕的。」費雷拉憤怒的聲音，一口氣說到這裡，之後逐漸轉弱，「我也是這樣的。在那黑暗而寒冷的夜晚，我也和現在的你一樣。可是，那是愛的行爲嗎？司祭必須學習爲基督而生，如果基督在這裡的話。」

費雷拉沉默了一瞬間，馬上以淸晰有力的語氣說：

「基督一定會爲他們而棄教的！」

天色逐漸亮了，到目前爲止，黑漆漆的圍牆內也開始出現朦朧的白光。

「基督會爲人們而棄教吧！」

「沒有這回事！」司祭以手掩面，聲音從指縫間擠出：「沒有這回事！」

「基督會棄教吧！爲了愛，即使犧牲了自己的一切。」

「不要再折磨我，去吧！去得遠遠的！」

司祭大聲哭泣。門栓發出低沉的聲音，掉落地上，門開了。白色的晨曦從打開的門瀉入。

「哪！」費雷拉溫柔地把手放在司祭肩上說：「去做至今沒人做過的最痛苦的愛德行爲。」

司祭蹣跚地拖曳著腳步。費雷拉從後面推著如套著重鉛腳鐐似地、一步一步地走著的他，晨曦中，他走著的走廊直直向前無盡地延伸。走廊盡頭，二個官吏和通譯有如三尊黑色木偶站立著。

「澤野大人？已經完成了啊！眞的可以準備讓他踩聖像了嗎？奉行大人那兒事後向他報告就行了。」

通譯把用兩手合抱的箱子放到地板上，打開蓋子，從裡面拿出一塊大木板。

「你要做的是至今沒有人做過的最大的愛德行爲……」費雷拉又在司祭耳邊小聲而溫柔地說著相同的話。「教會的神職人員會裁判你。如裁判我一樣，你也會被他們趕出去。可是比起教會、傳教，還有更重要的事。你現在要做的是……」

現在，聖像就在他的腳邊。微髒的淡色木板有如微波細浪，上面嵌著粗糙的銅版。

那是張開枯瘦的雙手，戴著荊棘冠冕的基督醜陋的臉！司祭黃濁的眼睛默默地看著來到這個國家之後第一次接觸的那個人的臉。

「來吧！」費雷拉說。「鼓起勇氣來！」

主啊！好久好久以來，我在心裡無數次揣測祢的臉。尤其是來到日本之後，我揣測過幾十次。在躲藏在友義村的山裡；在以小舟渡海時；在山中流浪時；在牢房的晚上；每晚祈禱時都想到祢禱告的那副面孔；孤獨時想起祢祝福的臉；在我被捕的那天想起祢背負十字架的臉；而那副面孔深深烙印在我靈魂上，變成這世界最美、最高貴的東西，活在我心中。現在，我要用腳踏這張臉。

黎明的微弱陽光，照射在司祭裸露細如雞頸的脖子上和鎖骨突起的肩上。司祭雙手拿起聖像靠近臉。他要用自己的臉貼在那被許多人的腳踐踏過的臉上。聖像中的那個人，由於被許多人踏過，已磨損、凹陷，以悲傷的眼神注視著司祭，從那眼中，一滴眼淚欲奪眶而出。

「啊！」司祭顫抖著。「好痛啊！」

「只是形式罷了！形式不都無所謂嗎？」通譯很興奮，催促著。「形式上踏一下就行了！」

司祭抬起腳，感到腳沉重而疼痛。那並不是形式而已。現在自己要踏下去的是，在自己的生涯中認爲最美麗的東西；相信是最聖潔的東西；是充滿著人類的理想和美夢的東西！我的腳好疼呀！這時，銅版上的那個人對司祭說：踏下去吧！踏下去吧！你腳上的疼痛我最清楚了。踏下去吧！我是爲了要讓你們踐踏才出生到這世上，爲了分擔你們的痛苦才背負十字架的。

就這樣，司祭把腳踏到聖像時，黎明來臨，遠處傳來雞啼。

沉默

9

遠藤周作

這一年夏季，雨水稀少。

傍晚時刻，長崎整個街衢像蒸籠。一到黃昏，陽光受到港灣的海水反射，更讓人覺得悶熱。從街道載著稻草包進入內町的牛車車輪發出亮光，白色塵埃飛揚。這時候無論走到哪裡都會聞到牛糞的臭味。

中旬，家家戶戶屋簷下掛著燈籠。大商家掛著畫有花卉、鳥蟲的角形燈籠。雖然天尚未黑，性急的孩子們已排成隊唱歌了。

提燈呀、再見唷、扔石頭、手爛爛
提燈呀、再見唷、扔石頭、手爛爛

他靠在窗上，口中哼著這首歌。雖然不懂小孩子唱的歌的意思，但旋律中吐露出悲傷的氣息。是因爲歌謠本身呢？或是聽者心情造成的呢？這就不得而知了。對面人家垂髮女子把桃子、棗子、豆供奉在舖著芭茅的架子上。這架子叫作精靈架，是日本人爲了祭祀十五日晚上返家的祖先靈魂的儀式之一；對現在的他而言已不稀奇，他自然地憶起：記得曾翻閱過費雷拉送他的日葡辭典，書上把這個節日翻譯爲 het-sterffest。

排列成隊正玩耍的小孩看到靠在方格窗的他，口中嚷著棄教的保羅，當中還有人想扔石頭呢！

「壞孩子！」

垂髮女子轉向這邊罵，小孩逃走了。他露出寂寞的微笑目送他們。

司祭突然想到天主教的萬聖節，萬聖節好像天主教的盂蘭盆會；到了晚上，里斯本家家戶戶窗口點亮蠟燭，跟這個國家的盂蘭盆會極爲相似。

他的家在外浦町，是長崎許多狹窄斜坡路之一，路的兩側房子密密麻麻擠在一起。緊接著裡面的道路叫桶屋町，住的都是桶匠，整天傳出乾木槌的咚咚聲。對面就是染布區的街道，在天晴的日子，藍色布匹像旗子隨風飄搖。家家戶戶都是木板屋頂或芭茅草屋頂，幾乎看不到如丸山附近繁華區商家的瓦屋頂。

除非有奉行所的批准，否則他不能隨意外出。閒暇時候，靠在窗上眺望路上行人是他唯一的安慰。早上，從大村、諫早頭上頂著蔬菜籃的女人走過這裡到市區。中午時候，圍著一條兜襠布的男人，牽著載物的瘦馬，大聲地唱歌通過這兒。傍晚，和尚搖著鈴走下斜坡而去。他目不轉睛地注視著日本的一幕幕風景，宛如有一天要介紹給故國的某人，但他驀然意識到自己回不了故國時，瘦削的臉頰上緩緩地浮現出絕望的苦笑。

在那時候，會有「那又怎麼樣」的自暴自棄心理湧上心頭。不知道澳門、摩尼的傳教士們是否已經知道自己棄教的事。允許居留在長崎出島的荷蘭貿易商們，可能已把事情經過傳達到澳門，自己可能已被傳教會驅逐出會了。

自己不只是被傳教會驅逐出會，身爲司祭的一切權利也可能已被剝奪，被神職人員視爲可恥的污點。但，那又怎麼樣，又將如何？他用力咬著嘴唇，搖搖頭——能夠裁判我的心的，只有主，而不是那些傢伙。

然而，深夜裡，那想像會突然使他驚醒，以銳利的爪指把他的心抓得稀爛，還會不自覺地發出呻吟聲從被窩裡跳起來。教會裁判的情形，就像默示錄中最後的審判一樣逼近眉睫。

（你們懂什麼啊？）

在澳洲的上司們呀！在黑暗中，他向那些人抗辯。你們在平安無事的地方，在迫害和拷刑的大風暴吹拂不到的地方，舒適過日、傳教。你們在對岸，以優秀的神職人員的身分受到尊敬。把士兵送到烽火熾烈的戰場，自己卻在房舍裡烤火的將軍，怎能責備成爲俘虜的士兵呢？

（不！這是強辯，我在欺騙自己。）司祭微弱地搖搖頭。（爲什麼現在還要做這種卑鄙的抗辯呢？）

我屈服了！不過，主啊！只有祢知道我並不是眞正棄教。神職人員會問我爲何棄教？是因爲穴吊的刑罰可怕嗎？是的。是因爲不忍心聽受穴吊百姓們的呻吟聲嗎？是的。是相信費雷拉所說的，只要自己棄教，這些可憐的百姓馬上就可以獲救嗎？是的。可是，或許只是以愛德行爲當作藉口，把自己的軟弱合理化罷了。

這些，我都承認。我已不再掩飾自己的一切軟弱。那個吉次郎和自己，到底有何不同呢？更要緊的是，我知道神職人員在教會所說的神，跟我的主一樣。踏聖像的記憶，深深烙在司祭的腦海裡，通譯丟在自己腳邊的木板，木板上嵌著銅版，銅版上刻著日本工藝師模仿做出的那個人的臉。

那張臉跟以往司祭在葡萄牙、羅馬、臥亞、澳門看過不知多少次的基督的臉都不一樣。那不是充滿威嚴和榮耀的基督的臉，也不是忍受著痛苦的美麗的臉，更不是抗拒誘惑、洋溢著堅強意志的臉。他腳邊的那個人的臉，瘦巴巴而且疲憊不堪！

因爲許多日本人踩過，鑲著銅版的木板上留下黑黑的大拇指痕跡，而那張臉也被踩得凹下、模糊不清。凹下的那張臉難過似地仰望司祭。那雙難過似地仰望自己的眼睛訴說著：踏下去吧！踏下去沒關係，我是爲了讓你們踐踏而存在的。

每天，他都受到乙名和町內的組頭監視著。所謂乙名是町代表。每月一次，換上衣服由乙名帶他到奉行所報到。

有時，奉行所的官吏也會透過乙名傳喚司祭。在奉行所的一個房間裡，官吏們拿他們無法鑑別的東西給司祭看，他的工作是告訴官吏是否爲天主教的東西。從澳門進口許多中國人的東西中夾雜著奇怪的東西，能夠區分是否爲天主教物品的只有費雷拉和他兩人。奉行所在他工作完畢時，會賞賜糕餅或金錢爲慰勞。

每次到本博多町的奉行所時，通譯和官吏們都慇懃接待他。從未受辱或被當成罪人看待。通譯的記憶裡似乎已完全沒有他的過去了，而司祭也裝出自己從未發生過什麼事般露出微笑，但是，兩人彼此都避免碰觸的回憶，在司祭一腳踏入奉行所的瞬間開始，他的人就像被燒燙的熨斗碰到一樣疼痛。他特別討厭被帶到休息室，因爲從那裡看得到隔著中庭的昏暗走廊。那一天早上，自己被費雷拉攙扶著搖搖晃晃地走過那兒。因此，他慌忙避開視線。

他跟費雷拉也不能自由見面。雖然知道費雷拉住在西勝寺附近的寺町，但不能隨意拜訪他，而他也不能隨便來訪。能碰面的，就只有在乙名陪伴下到奉行所的時候了。這邊有乙名跟隨，對方也一樣有乙名監視。他和費雷拉都穿著奉行所給的衣服，用乙名也能懂的怪怪的日語作簡短的寒暄。

在奉行所裡表面上裝得非常融洽，其實對費雷拉的感覺無可言喻，那是包含了人對另一個人的所有感覺，彼此都懷著憎惡與輕蔑的感覺。至少，他如果對費雷拉懷有憎惡之感，並不是因爲受到他的引誘而棄教之故（對那件事已毫不怨恨、憤怒），而是因爲從費雷拉身上可以看到自己深深的創傷。如無法忍受看映在鏡中的自己醜陋的臉一般，坐在眼前的費雷拉也和自己一樣穿著日本人的衣服，說日本人的語言，跟自己一樣是被教會驅逐出去的男人。

「哈！哈！哈！」費雷拉常對著官吏做出卑屈的笑聲。「荷蘭商館的魯可克已經去了江戶嗎？上個月到出島時，他這麼跟我說。」

他默默地注視著聲音嘶啞的費雷拉和凹陷的眼睛與無肉的肩膀。太陽落在他肩上。第一次和他在西勝寺見面時，陽光也照射在他肩上。

司祭對費雷拉的觀感不只是輕蔑和憎恨，還摻雜著具有相同命運的同理心與包含自憐的惻隱心。司祭注視著費雷拉的背部，突然感覺到兩人就像醜陋的雙胞胎。彼此憎恨對方的醜陋，彼此輕視，但又無法分開的兩個雙胞胎。

奉行所的工作完畢時大都是黃昏時候。蝙蝠掠過門和樹之間，掠過淡紫色的天空而去。乙名們彼此暗示，帶著自己負責的外國人向左右分別離去。他邊走邊悄悄回過頭來看費雷拉，費雷拉也回過頭來看自己。到下個月之前，兩人不能再見面，也不能彼此探索對方的孤獨。

節錄自「長崎出島荷蘭商館館員約納遜日記」

一六四四年七月（正保元年六月）

七月三日　三艘中國帆船，出帆。因獲准五日啓航利洛，故明日需將銀、軍需物品、其他雜貨裝船，完成一切準備。

七月八日　商人、金錢鑑定人、房主與四郎衛門做最後的決算，奉商館館長命令書寫在下期之前需備齊運往荷蘭、可羅馬提爾海岸和暹羅貨品的訂購單。

七月九日　在當地一市民家中，發現到聖母像，因此全家人馬上被捕入獄、受審。結果，供出賣主，亦受審。審問時，聽說棄教的神父澤野忠庵及同是棄教的葡萄牙神父洛特里哥也在場。

三個月前，在當地的一市民家中發現刻著聖徒像的一貝林克貨幣，全家人都被捕，受審，但拒絕棄教。在場的已棄教的葡萄牙神父洛特里哥不斷向奉行所乞求釋放他們而不得。被判死刑，夫婦和兩個兒子頭髮被剃一半，騎在瘦馬上遊街示衆。夫婦於數日前被處穴吊之刑，兩個兒子被迫目睹後，收押。

傍晚，一艘中國帆船入港，所載物爲砂糖、瓷器、少量絹織物。

八月一日　一艘中國帆船，載雜物由福州抵達，十時左右看守發現長崎灣外六海里處有一艘帆船。

八月二日　早上，前述之船開始卸貨，情況良好。

正午時分，奉行所正、副書記和通譯同來我房間，進行歷時二小時之訊問。據說是由於在長崎之棄教神父澤野忠庵和葡萄牙籍之棄教神父洛特里哥說，澳門方面決定用荷蘭船運送神父由印度入日本。依澤野的說法，今後可能採取偷渡到日本的方式，把神父們打扮成受雇於荷蘭人，從事船務的低賤工作者。書記官警告我們，如果有這種事發生，公司的處境將會非常困難，還要我們嚴加注意。又，今後如在我等船上逮捕到偷渡到日因戒備嚴密無法潛入內地，搭我等船隻欲脫離之神父，則荷蘭人亦將毀滅。書記官說，荷蘭人自稱是陛下和日本的臣僕，因此也要受到與日本人相同之刑罰，轉交由奉行所遞交給我如左的日文備忘錄。

備忘錄譯文

去年博多王所逮捕之澤野司祭，在江戶向最高官廳明言，荷蘭人及荷蘭國內有爲數甚多的羅馬教徒。又說：在柬埔寨，荷蘭人到神父家作告解，以及神父們在歐洲決定冒充公司雇工和船員，搭乘公司船隻到日本長崎。奉行所不相信這種說法，認爲葡萄牙及西班牙是荷蘭的大敵，因此欲將其陷於不利，才故意這麼說；但澤野忠庵回答，絕非虛言，是事實。基於上述理由，奉行嚴令館長查明船中有無羅馬教徒，如查出確實存在需據實以告。又，今後如有羅馬教徒搭乘荷蘭船來日，未向奉行報告，一經查明館長將受嚴厲之處分。

八月三日　上述之船於傍晚全部卸貨完畢。本日奉行查詢該船有無能操縱臼砲之砲師，因此派遣商務員助理巴魯斯・菲魯上船調查，結果沒有，並據實以告。奉行下令今後來日諸船亦需查詢，若有需報告。

八月四日　早上奉行所高級武士本庄大人上船，詳加調查。此次之所以會詳加調查，乃因之前於長崎的神父向最高警察當局報告荷蘭人中有羅馬教徒者，搭乘荷蘭船來日。高級武士言，倘無上述之新疑點，則自去年起調查將會放寬，亦向船上軍官說明。余亦依彼等之請至船上，在彼等見證下向全體人員訓諭，如有藏匿有關羅馬教東西者，即刻交出，可免受罰，全體人員回答：沒有，因此，向彼等朗讀船員應遵守法令。本庄大人言欲明白內容，經詳細說明後，彼等言據此向奉行報告令他放心即回。

傍晚，有中國帆船抵達。所載貨物主要有紗綾、綾子、綢綢及其他紡織品，經估價爲八十貫目①，此外尚有砂糖及雜貨。

八月七日　前述父母被處死刑之兩個小孩，及另外一人被縛騎瘦馬，赴刑場，被斬首。

一六四五年（正保二年十一月、十二月）

十一月十九日　中國帆船一艘，載白生絲、紗綾、綾子、金線織花錦緞、緞子等約八百貫至九百貫②從南京來，說一個半月或二個月後會有載貨多的帆船三、四艘來。據說在該地，依所載貨物多寡向大官繳納一百至六百兩，即可自由來日。

十一月二十六日　小帆船一艘由漳洲來，估計載麻布、明礬、壺等兩箱以上。

十一月二十九日（三月二日）　晨，通譯二人受奉行之託來館，出示瑪利亞圖下荷蘭文「充滿恩寵者，上主與你同在！在女人中你是蒙祝福的。」（路加福音第一章第二十八節），言由下關附近僧侶處得來，詢問是何語言，意思爲何。棄教之葡萄牙神父洛特里哥及澤野忠庵言非拉丁語、葡萄牙語、義大利語，因此不懂意思爲何。此爲荷蘭語的聖瑪利亞，由使用相同語言的法蘭提爾人印製的。無疑地，此幅畫由我船隻運來，然除非更進一步追查，否則保持緘默，至於數字，想神父洛特里哥及澤野忠庵必已說明，故據實以告。

十一月三十日　天晴，晨，將舵及火藥搬到船上，剩餘貨物亦裝運完畢。正午，上船點名，遞交文件後回館，以酒宴款待邦喬等。傍晚前，風向轉爲西北，歐費爾斯比號未啓航。

十二月五日　正午時分，通譯來詢問我等輸入品之採購地點，回答中國和荷蘭爲大部分供應地。此次前來調查中國人不來日本，輸入方面是否會有阻礙。

自從我來到日本之後，即想辦法了解棄教神父們之事。有一名爲荒木特瑪之日本人久居羅馬，曾當過法王之侍從，以前曾數次自稱係天主教徒。奉行認爲其年老神經錯亂而未加理睬，後被吊於洞中一日夜，即棄教；唯內心並未拋棄信仰而死亡。現僅有二人尚存，一人爲叫忠庵的葡萄牙人，本爲當地之耶穌會會長，然此人黑心。另一人即出生於葡萄牙里斯本之司祭洛特里哥，此人亦於奉行所踏過聖像。二人現皆居長崎。

十二月九日　將依與皇帝同等待遇贈送筑後大人禮品，及裝有各種藥油及其他藥品之小箱子呈三郎左衛門，對方欣然接受。據聞因所附目錄，以日文一一譯述功能，奉行大喜。傍晚，有一艘福州船入港。

十二月十五日　中國帆船五艘啓航。

十二月十八日　中國帆船四艘啓航。南京帆船船員中有四、五人要求搭乘中國帆船至 Tonkin（越南北部地帶）或交趾，但奉行不准。

因島上戶主之一據聞棄教者忠庵針對荷蘭人及葡萄牙人寫成報告，近日內將呈宮廷。公司為避免麻煩，甚至詛咒此遺忘神之惡漢早日去世，神或許會保庇我等免受嫌疑吧！下午，二艘日本船到達商館前，我們搭乘其中一艘，另一艘則載駱駝。傍晚，通譯等陪我們來館，準備同行上上方③，其中一人會少許荷蘭語，係洗衣工人，我希望他暫時以廚師身分同行，然傳兵衛和吉兵衛奉行禁止會荷蘭語者同行。我不信，認為他們純為一己行事之方便而反對，我們會日語及荷蘭語即已足夠，語言中應討厭者為葡萄牙語而非荷蘭語，會荷蘭語之天主教徒無一人，然會葡萄牙語之天主教徒可輕易舉出幾十個。

十二月二十三日　一艘福州小帆船啓航。一艘中國大帆船，於抵達港灣之前，遇逆風，晚上由多艘駁船拖回長崎。擊大鼓、吹嗩吶等熱鬧非常，張掛甚多絹織幟，乘客衆多。

元旦，長崎街上有吹嗩吶、打鑼敲鼓的男子，到家家戶戶門前表演。女人、小孩在門口賞小錢給表演男子。

這一天還有船津、蚊喰原一帶的浪人們，兩、三人組成一組，戴著草笠，挨家挨戶唱民謠。

正月二日，商店開始營業，天未亮即裝飾，掛上新「暖簾」。賣海參的小販，到這些商店一家一家推銷。

正月三日，各村長老到奉行所申請踏聖像。

從四日起要市民們踏聖像。這一天，江戶町、今魚町、船津町、袋町等的乙名和組頭④向奉行所領取聖像板，到各家核對踏聖像簿。每戶都清掃道路靜待乙名和組頭光臨。聽到遠處似唱歌喊著「請出來——」時，每一戶人家在最接近門口的房門列隊等候。

聖像板長約七寸到八寸，寬約四寸到六寸，上面嵌著聖母或耶穌像。由男主人先踏，然後是女主人、小孩。嬰兒則由母親抱著踏。如有病人，則由官役當見證人，抓他躺在床上的腳碰觸聖像。

元月四日，奉行所突然傳喚他。通譯安排轎子來接。這天，無風，天空陰暗，是相當寒冷的日子，斜坡路上可能是因爲要舉行踏聖像的儀式，跟昨天完全不同，一切恢復了清靜。在本博多町的奉行所裡冷颼颼的地板房間，有一個穿著武士禮服的官吏等候著他。

「奉行大人等著呢！」

筑後守端坐在放著一個鐵製烤手爐的客廳裡，聽到腳步聲，大耳朵的臉轉向這邊，注視著司祭。臉頰和嘴唇一帶浮現出微笑，但眼睛毫無笑意。

「恭喜你！」筑後守靜靜地說。

棄教之後，今天是頭一遭跟奉行碰面；但是，現在他對眼前的男子已無恥辱感。自己所要對抗的不是以筑後守爲中心的日本人，他漸漸明白自己要對抗的是自己的信仰。不過，這道理筑後守絕對無法理解。

「好久不見。」筑後守把兩手放到烤手爐上，點點頭，「對長崎已經完全習慣了吧！」

奉行問司祭，有沒有什麼不方便的地方？如果有，用不著客氣，向奉行所提出吧！司祭知道奉行盡量避免拿自己的棄教爲話題。這該說是體恤呢？或者是出自勝利者的自信呢？司祭不時抬頭察看對方的臉色，可惜從毫無表情的老人臉上看不出任何訊息。

「一個月後到江戶住下來吧！已經替神父準備好住處，那是我以前住過的小日向町的房子。」

筑後守稱呼他神父，不知是有意或無意，這稱呼尖銳地刺入司祭的胸中。

「還有啊！既然打算一輩子住在日本，以後還是用日本名字好了。剛好有一個名叫岡田三右衛門的男子死掉了，你到江戶之後，就用這個名字好了。」

奉行兩手在烤手爐上搓著，一口氣說出這些話。

「死掉的那個男子還有老婆，神父一直都是一個人生活也不方便吧，把那老婆也接收算了。」

司祭低著頭聽這些話，眼簾裡浮現出斜坡，現在，自己就在那斜坡上一直往下滑。反抗、拒絕都不管用，改爲日本人名字還無所謂，但是連他的妻子都接收倒是想都沒想過的事。

「怎麼樣？」

「好的。」

他聳聳肩，點了頭，分不清是疲勞或是絕望充塞胸中。（祢受過一切的屈辱，因此只要祢能了解我現在的心情就行了。縱使信徒和神職人員把我當成是傳教史上的污點，我也無所謂了。）

「我記得什麼時候曾經說過，這個日本國是不適合天主教的。天主教的信仰絕對無法在此生根。」

司祭想起費雷拉在西勝寺說過同樣的話。

「神父並未敗在我手上，」筑後守一直注視著烤手爐的灰燼說：「是輸給了名叫日本的沼澤。」

「不，我所對抗的是——」司祭不由得提高嗓門：「內心的天主教教義。」

「是嗎？」筑後守露出諷刺的微笑。「聽說費雷拉棄教後也說過，是聖像中的基督對費雷拉說棄教，他才棄教的吧！其實這不過是掩飾自己軟弱的遁辭罷了。從那句話，我井上某人就不認爲他是眞正的天主教徒。」

「奉行大人隨你怎麼想都行。」

司祭把雙手置於膝上，低著頭。

「騙得了別人卻騙不了我。」筑後守冷漠的聲音說：「同樣的問題我也問過別的天主教神父，佛的慈悲和天主教上帝的慈悲有何不同？在日本，我們了解的是，因爲一己的軟弱無能，故衆生依賴佛的慈悲，這叫作得救；但是，那個神父很淸楚地說出，天主教所說的救贖和佛教不同。天主教的救贖是，不只是依賴上帝就行了，還得信徒有堅強的意志。從這裡看來，天主教教義在日本這沼澤不知何時已被扭曲。」

司祭想大叫，天主教不是你所說的那樣；可是，想到不管怎麼說——包括這個井上，還有通譯在內——誰都無法了解自己現在的心情，於是又把已衝到喉嚨的話給硬吞下去。他把手放在膝上，眨眨眼睛，默默地聽奉行說話。

「神父，你知道嗎？五島和生月現在還有許多自稱天主教徒的百姓；不過，奉行所已經不準備抓他們了。」

「爲什麼？」通譯問。

「因爲它的根早已斷了。如果從西方的國家不斷派遣神父來，我們就不能不逮捕信徒……」奉行笑了。「不過，現在沒有這種顧慮，因爲根斷了，莖和葉都會腐爛，從五島和生月的百姓偷偷信奉的上帝和天主教的上帝已逐漸分歧這一點，就可以找出證據了。」

司祭抬起頭看筑後守的臉。臉頰和嘴角現出做作的微笑，但是眼中毫無笑意。

「最後，神父們帶來的天主教，離開它的根變成莫名其妙的東西。」

筑後守接著深深地嘆了一口氣。

「日本就是這樣的國家。是一點辦法也沒有的啊！神父！」

奉行的嘆氣中，包含著眞實、痛苦的絕望。

司祭接受糕餅的賞賜，道了謝之後和通譯一起退出來。天空仍舊一片陰暗，路上寒冷。轎子搖晃著，他茫然注視著在鉛色天空下，和天空同樣顏色的廣闊海洋。筑後守說自己最近會被送到江戶，也有自己的住宅，那可能是早就聽說的天主教監獄吧！自己會在牢中過一輩子吧！已經無法橫渡那鉛色的大海回到故國了。在葡萄牙時，認爲傳教就是讓自己完全變成那國家的百姓。自己準備到日本來和日本人信徒過同樣的生活。結果呢？沒錯，如以前所想的，取了日本人的名字岡田三右衛門，變成了日本人……。

（岡田三右衛門啊——）

他低聲笑了笑。表面上他所想要的一切，命運都給了他，陰險而諷刺地給了他。司祭是終身不娶的，但自己卻有了妻子。（我並不恨祢。我只是嘲笑人的命運而已。我對祢的信仰跟以前不同，但是，我仍然深愛著祢。）

一直到黃昏時分，他都靠在窗上眺望著小孩。小孩拉著繫在風箏上的線在斜坡上跑來跑去，但沒有風，風箏一直飛不上去，在地面上拖曳著。

黃昏後，雲稍微分開，微弱的陽光自雲間照射出來。已玩膩放風箏的小孩手上拿著綁在門松⑤上的竹子，敲著門唱歌。

打鼴鼠喲！沒有罪沒有罪
竹節、竹節，祝福三次
一松枝、二松枝
三松枝、四松枝

他小聲地學孩子們唱。唱不好而感到寂寞。「打鼴鼠喲！沒有罪沒有罪」，他覺得自己和那眼睛看不見在地上亂爬的愚蠢動物非常相似。對面人家的老太婆正罵著小孩。這個老太婆每天送兩餐飯來給他。

晚上，起風了。側耳傾聽，想起以前被關在牢房的時候搖動雜樹林的風聲。之後，他像平常的夜晚，腦海裡浮現出那個人的臉，自己踏過的那個人的臉。

「神父！神父！」
他凹陷的眼睛注視著發出熟悉聲音的門。
「神父，我是吉次郎。」
「我已經不是神父了。」司祭用手敲著兩膝小聲地回答。「趕快回去吧！要是被乙名大人發現就麻煩了。」
「不過，你還有聽告解的能力吧！」
「是嗎？」他低下頭，「我是棄教的神父。」
「在長崎，大家都叫你棄教的保羅，沒有人不知道這名字。」
抱著膝蓋的司祭寂寞地笑了。現在，不用再告訴我，這綽號自己早就聽說了。費雷拉被稱爲「棄教的伯多祿」，自己被稱爲「棄教的保羅」。有時候，小孩子還會到家門口大聲地叫嚷著那名字。
「請聽我說，如果棄教的保羅還有聽告解的能力，就請寬恕我的罪過吧！」
（要裁判的不是人，……而且最了解我們弱點的只有主。）他默默地思考著。
「我出賣了神父，也踏過聖像。」吉次郎哭泣似地繼續說下去，「這世上存在著弱者和強者。強者不畏任何刑罰，可以上天國吧！像我這樣天生的弱者，被官吏施刑，要我踏下去……」
我也踏過那聖像。那時，我的腳放在凹下的那個人的臉上；在數不清的回憶裡出現過的臉上;在山裡流浪時、在牢房裡自然而然會想起祂的那張臉;在人類存在的一天、最好最美的臉;一輩子都想親近的那個人的臉;那張臉現在在嵌著聖像的木板上已磨損、凹陷,以哀傷的眼光看著這邊。(踏下去吧!)哀傷的眼神對我說。

(踏下去吧!你的腳現在很痛吧!跟以前踏過我的臉的人一樣疼痛吧!光是腳的疼痛就夠了。我分享你們的痛苦,我是爲此而存在的。)

「主啊!我恨祢一直都保持沉默。」

「我並非沉默著,而是一起受苦。」

「祢對猶大說去吧!去吧!去做你所想做的。猶大怎麼了?」

「我並沒有這麼說。就像現在我對你說踏下去吧一樣,我對猶大說去做你所想做的。如你的腳疼痛般,猶大的心也疼痛吧!」

那時,他把被血和汗水弄髒的腳放到聖像上。五根腳趾掩蓋了自己所愛的臉上。這種激烈的喜悅和感情是無法向吉次郎說明的。

「沒有所謂的強者與弱者。誰又能斷言弱者一定不比強者痛苦呢?」司祭朝著門口急促地說。

「在這個國家要是已無可以聽你告解的神父,那我就爲你祈禱吧!在告解完後說的祈禱……安心地去吧!」

憤怒的吉次郎壓低聲音啜泣,最後移動身體,走了。自己不客氣地爲這個男人做了唯有神職人員才能做的奧蹟。神職人員會強烈地指責我做冒瀆的行爲吧！我即使背叛了他們，但絕不會背叛祂。我用跟以往不同的形式愛著那個人。爲了了解祂的愛，到今日爲止所做的一切都是必要的。在這個國家，我現在仍然是最後的天主教司祭。而，那個人並非沉默著。縱使那個人是沉默著，到今天爲止，我的人生本身就在訴說著那個人。

譯註

①貫目，亦簡稱貫，爲日本江戶時期貨幣單位，一貫爲一千文。八十貫約等於八萬文。

②古時日本重量單位，一貫爲三・七五公斤。

③日本關東地方的人稱京都、大阪爲上方。

④江戶時期村吏、里正的助理。

⑤日本風俗，新年門前裝飾的松枝，也有綁上竹或梅的。

天主教住宅官吏日記

沉默

遠藤周作

寬文十二年壬子

近日，將有拾個部下的岡田三右衛門，和七個部下的卜意及壽庵、南甫、二官，於閏六月十七日，遣送遠江守處。

記

一、三右衛門表弟　深川舟大工　清兵衛五十
一、同右內表弟　土井大炊頭幫傭　源右衛門五十五
一、同右侄子　與清兵衛同住　三之丞
一、同右侄子　繪揷町工匠　庄九郎三十
一、足立權三郎　井上筑後守任內、卜意工匠之弟子
一、壽庵婿　元吉原　紙屋仁兵衛與女同住
一、壽庵女伯父甚右衛門　於河越北条任內曾見過面，四月廿六日遇壽庵

延寶元年癸丑

一、十一月九日晨六時，卜意病死，初級檢查官木村與右衛門、牛田甚五兵衛皆隨從二名前來。輔佐庄左衛門、傳右衛門、惣兵衛、源助，會同基層公安人員朝三郎右衛門、荒川久左衛門、海沼勘右衛門、福田八郎兵衛、一橋又兵衛，送往無量院火葬，改名向岸清轉禪定門。遠藤彥兵衛、組長木高十左衛門、卜意

下人德左衛門檢查道具，指示踏聖像，住宿。

延寶二年甲寅

一、遠江守命令岡田三右衛門於正月廿日至二月八日之間，書寫棄教切結書，因此，由鵜飼庄左衛門、傳右衛門、星野源助輪值幫忙上述工作。

一、二月十六日、岡田三右衛門動手書寫棄教切結書，傳右衛門、河原甚五兵衛兩人受命自廿八日起，至三月五日止，於三右衛門住處監視。

一、令岡田三右衛門從六月十四日起七月廿四日止，於山屋敷書院書寫棄教切結書，由傳右衛門、河原甚五兵衛負責監視。

一、九月五日、送壽庵入牢獄，言辭不遜，相當期間內不得出獄、宣告時見證六右衛門、庄左衛門、惣兵衛、河原與傳右衛門、源助、龜井、值月介護塚本六右衛門加用傳右衛門

延寶四年丙辰

一、岡田三右衛門帶走了僕役吉次郎，因有可疑處，故轉告牢獄，於衙門搜查吉次郎懷中道具，搜出掛於頸間之守護袋內，有天主教基督照片一張，正面寫有薩列哈拉伯多祿，背面寫著傑比爾安女之物字樣。從牢中喚出吉次郎，查問故鄉、親戚情形。係九州五島人氏，享年五十四歲。

一、一橋又兵衛與吉次郎感情甚篤，於天主教有死灰復燃跡象，吉次郎受審問，又兵衛被關入牢裡……因又兵衛與吉次郎感情甚篤遭調查，又，因右列事，九

郎左衛門、新兵衛與又兵衛交往密切，亦遭調查，所有衣物，於書院無一未遭檢查……遠江守名喚，自書院拘提吉次郎，詢間天主教基督照片由何人所給，答係三年前來此之僕役才三郎所有，掉落此地爲余所拾，此事守衛德右衛門亦知，即傳喚德右衛門詢問，言於夏季拾得。問，非岡田三右衛門所給乎？吉次郎答無向三右衛門取得之閒暇。詳細情形，向三右衛門處查詢結果。有當値武士兩人監視，無三右衛門給吉次郎之可能。

一、九月十七日，遠江守到山屋敷，於書院喚出三名僕役，調查無天主教徒。之後，又傳喚吉次郎、德右衛門兩人仔細調查。又搜查家中道具，尤其是組屋敷三處，卡子門內亦重新調查。妻兒亦於奉行之前解下上下帶子，連所持佛像亦調查。又，調查杉山七郎兵衛家中，木暮十左衛門自字紙簍中搜出天主教書籍，即委由傳右衛門轉交執事。

一、同月十八日，遠江守往山屋敷，於書院傳喚僕役三人。傳喚一橋又兵衛詳加調查，接著調查吉次郎、德右衛門，之後，傳喚岡田三右衛門妻及下女、童僕調查，也傳喚三右衛門，詢問是否鼓勵吉次郎信天主教，回答未有此事，立保證書不傳教。之後，問杉山七郎兵衛昨日搜出天主教書籍，究係何來？七郎兵衛，前幾年北条安房守任內，幕僚長執行任務期間，令服部左公衛記錄之後，斥回。

一、傳喚齊藤賴母組管行李武士新兵衛及館林宰相家臣笠原鄉右衛門家僕役太兵衛與吉次郎對質，廣泛調查，新兵衛查無可疑處，新兵衛攜帶物太兵衛亦目睹，因此將太兵衛、新兵衛兩人斥回。

一、同日，奉行久木源右衛門、奧田德兵衛、川瀨惣兵衛、河原甚五兵衛於牢內審問一橋又兵衛。後，又數度拷問又兵衛門。

一、同月十九日，遠山守至山屋敷。右列調查結果呈遞遠江守。

一、十月十八日，天晴，遠江守及佐山庄左衛門、種草太郎右衛門至山屋敷，令一橋又兵衛及其妻騎木馬拷問，傳喚內藤新兵衛至書院接受調查，松井九郎右衛門受調查時，招供實情。

一、十一月廿四日，檢舉天主教獎賞公告於山屋敷大門。由河原甚五兵衛、鵜飼源五右衛門、山田十郎兵衛作見證。右公告以文言註於左。

規定

天主教被禁已多年，發現可疑、提出檢舉者，賞金如下：

司祭之檢舉人　銀三百枚

修士之檢舉人　銀二百枚

重新信天主教之檢舉人　同右

同住及同宗派之檢舉人　　銀百枚

如有物品藏匿不報，查出，與物主相牽連五人一律嚴處。

一、十二月十日，壽庵入獄。派執事高橋直右衛門、服部金右衛門前往，將下列判決書交由高橋直右衛門轉給壽庵。

壽庵平日行爲不檢，今又藏匿天主教事物未向源左衛門提出，屬次藏匿不報，判入獄。壽庵亦承認所犯罪行，深感慚愧。即逮捕入獄，取出錢包一個，交由官吏，轉呈衛門保存。右錢包執事、輔佐見證下，計有小粒金子拾柒兩壹分，此外，檢查壽庵道具，記於簿上，由輔佐封印，置於壽庵住處。

一、壽庵持有物中，tirityo 一、risihiri 二、kontasu 二連、星圖一幅。

延寶九年辛酉

一、七月廿五日，下午四時，岡田三右衛門病死，死亡報告由鵜飼源五右衛門及成瀨次郎左衛門攜往衙門。上頭即派執事高原關之丞、江曲十郎右衛門前往，三右衛門屍骸由同心①三人看守。

一、岡田三右衛門持金子，小粒拾參兩三分、小判②拾伍兩，都合貳拾捌兩三分。此外，諸道具由執筆封印，於廿八日收入倉庫。

一、同月廿六日，檢察官大村與右衛門、村山覺太夫及下山惣八郎、野村利兵衛、內田勘十郎、古川久左衛門共六人前往山屋敷。在執事見證下，左列供詞遞交「御徒目付」③。

口頭備忘錄

天主教住宅之司祭岡田三右衛門，係南蠻葡萄牙人，參拾餘年前，井上筑後守命令居此，至酉年已參拾年，月初起無法飲食，接連患病，牢醫石尾道投藥醫治，然病體日重，昨廿五日晨七時半許逝世。右三右衛門，享年六十四歲。以上記錄無訛。

七月廿六日

林信濃守組

奧田次郎右衛門

鵜飼源五右衛門

河原甚五兵衛

川瀨惣兵衛

加用傳右衛門

右檢查完畢，三右衛門屍骸葬於小石川無量院。無量院派玄秀和尚前往，以交通工具載三右衛門屍骸火葬。三右衛門戒名入專淨眞信士。奠儀金壹兩貳分，扣除火葬費百匹④，其餘所需費用三右衛門所持金子扣除。

譯註

①下級公安人員。
②金幣單位。
③江戶府官職名。負責警衛、偵探工作。
④一匹爲十文或二十五文。

後記

幾年前，我在長崎見過一塊已磨損的聖像——上面留有黑色的趾痕——長久以來，一直縈繞心中，在我住院期間，踏過的聖像的形體，逐漸形成。我從去年一月開始撰寫這部小說。洛特里哥最後的信仰比較接近基督教思想，不過，這是我現在的立場。我也知道會受到神學方面的批評，但也認了。

其次，我要簡單介紹一下這部小說的模特兒岡本三右衛門。他和本文的岡田三右衛門、洛特里哥不一樣，本名叫鳩傑貝・凱拉，生於西西里亞，爲尋找費雷拉神父，於一六四三年六月二十七日在筑前大島登陸，偷偷傳教；但隨即被捕，被長崎奉行所送入江戶小石川監獄。在這裡受到井上筑後守審問，受「穴吊」之刑而棄教，娶日本婦人爲妻，住天主教住宅，於一六八五年逝世，享年八十四歲。與他一起來日傳教的阿洛世、卡索拉兩人皆於拷刑後棄教。我必須指出小說中的洛特里哥和卡爾倍與史實不同。

第九章裡的「長崎出島荷蘭商館館員約納遜日記」係從村上博士所記「荷蘭商館日

記」改寫而成，而「天主教住宅官吏日記」係從「再續群書類從」中的「查祆餘錄」改寫而成，謹此聲明。

遠藤周作年表

一九二三年　大正十二年

三月二十七日，生於東京市巢鴨，父常久，母郁子，上有長兄正介。其時，父服務於安田銀行（現為富士銀行），母係上野音樂學校（現為東京藝術大學）小提琴科學生，與安藤幸（幸田露伴之妹）同受教於莫基雷夫斯基。

一九二六年　昭和元年．大正十五年　三歲

父調職，遂舉家遷往大連。昭和四年入大連市大廣場小學，成績較長兄為劣。寒冬中，目睹母終日練小提琴，手指出血，大受感動且了解藝術之艱辛。

一九三三年　昭和八年　十歲

父母離異，遠藤隨母返日，轉入神戶六甲小學。姨母係虔誠之天主教徒，常帶遠藤

上西宮市之夙川教會。

一九三四年　昭和九年　十一歲

於復活節受洗，聖名保羅。

一九三五年　昭和十年　十二歲

六甲小學畢業，入私立灘中學（現為灘高中）。同學中有楠本憲吉。嗜讀十返舍一九之《東海道中膝栗毛》。

一九四〇年　昭和十五年　十七歲

自灘中學畢業。

一九四三年　昭和十八年　二十歲

重考三次均名落孫山，第四年始考入慶應大學文學部預科。因違背父意，執意入文學部，被斷絕父子關係，寄居友人利光松男家，半工半讀。後搬入學生宿舍，受舍監哲學家吉滿義彥氏影響，閱讀馬利坦作品，又受友人松井慶訓之影響，閱讀里爾克（Rilke）作品。因吉滿之介紹得識龜井勝一郎，翌年訪堀辰雄。

一九四五年　昭和二十年　二十二歲

徵兵體檢為第一乙種體位，然因罹患急性肋膜炎遂延期入伍，一直到大戰結束皆未入伍。四月，入慶應大學文學部法文系，受教於佐藤朔。閱讀摩略克、貝爾納諾期等法國現代天主教文學。上一屆學長中有安岡章太郎。次年回到父親身旁。

一九四七年　昭和二十二年　二十四歲

隨筆〈諸神與神〉受神西清賞識，刊登於《四季》第五號。同月，評論〈天主教作家之問題〉發表於《三田文學》。

一九四八年　昭和二十三年　二十五歲

因神西清推薦，評論〈堀辰雄論備忘錄〉刊登於《高原》三、七、十月號。

一九四九年　昭和二十四年　二十六歲

三月，自慶應大學法文系畢業。五月，發表評論〈神西清〉（《三田文學》）、〈傑克・里威爾——其宗教之苦惱〉（《高原》）。六月，因佐藤朔介紹，成為鎌倉文庫特約撰稿人；後公司經營不善，宣告破產。後入其兄服務過之天主教文摘社。成為《三田文學》同人（會員），得識丸岡明、原民喜、山本健吉、柴田錬三郎、堀田善衛等。

一九五〇年　昭和二十五年　二十七歲

一月，發表評論〈佛蘭索瓦・摩略克〉於《近代文學》。六月五日以戰後第一批留學生身分赴法留學，研究法國現代天主教文學。十月，入里昂大學，受教於巴第教授門下。在里昂兩年半期間，因三田學長大久保房男的好意，於《群像》發表〈戀愛與法國大學生〉等有關法國學生生活隨筆數篇。

一九五一年　昭和二十六年　二十八歲

三月於里昂接到原民喜自殺的訃聞，夏季，為求理解摩略克《提列茲·蒂斯凱爾》作品，到該書背景的蘭德旅行。

一九五三年　昭和二十八年　三十歲

轉往巴黎，病發，入裘爾坦醫院就醫，一直未康復，二月搭赤城丸返日。五月，發表〈原民喜與夢幻少女〉（《三田文學》）。七月，發表〈留法日記〉（《近代文學》八～十、十二月號）。八月，出版第一本書《法國的大學生》（早川書房）。

一九五四年　昭和二十九年　三十一歲

四月，任文化學院講師。透過安岡章太郎的介紹與谷田昌平加入「構想之會」，結識吉行淳之介、庄野潤三、遠藤啓太郎、三浦朱門、進藤純孝、小島信夫等。又接受奧野健男的建議加入《現代評論》，於六月創刊號發表〈馬爾奇·特·沙德評傳㈠〉。不久，與服部達、村松剛提倡形而上批評。十一月於《三田文學》發表第一篇小說〈到雅典〉。該年母郁子逝世。

一九五五年　昭和三十年　三十二歲

〈白人〉發表於《近代文學》（五、六月號），七月該小說獲第三十三屆（昭和三十年度上半期）芥川獎。九月，與岡田幸三郎氏長女順子結婚。十一月，發表〈黃色人種〉（《群像》）。

一九五六年　昭和三十一年　三十三歲

六月，長男誕生，為紀念獲芥川獎而命名為龍之介。十一月，出版評論集《神與惡魔》（現代文藝社）。十二月，出版《綠色小葡萄》。該年受聘為上智大學文學部講師。

一九五七年　昭和三十二年　三十四歲

〈海與毒藥〉發表於《文學界》（六、八、十月號）。十月，出版《想戀與相愛》（實業之日本社）。

一九五八年　昭和三十三年　三十五歲

三月，出版短篇小說集《月光之假面舞面》（東京創元社）。四月，出版《海與毒藥》（文藝春秋社）。九月底，與伊藤整、野間宏、加藤周一、三宅艷子、中川正文等出席亞洲作家會議，回程繞到蘇俄，於十一月返日。十二月，《海與毒藥》獲第五屆新潮社獎、第十二屆每日出版文化獎。是年起至翌年止，於成城大學講授法國文學論。

一九五九年　昭和三十四年　三十六歲

十月，出版《傻瓜先生》（中央公論社），為蒐集沙德資料，偕夫人渡法，會見沙德專家吉爾貝爾・烈李伊、比耶爾・庫洛索斯基，繞英、法、義、希臘、耶路撒冷，於翌年一月返日。

一九六〇年　昭和三十五年　三十七歲

返日後，結核病復發，入「東大傳研醫院」，年底轉慶應醫院。八月，出版《新銳作家叢書6・遠藤周作集》（筑摩書房）。九月，出版《火山》（文藝春秋新社）。六月，發表〈絲瓜君〉《河北新報及其他》（連載至十二月。十二月，出版《聖經中的女性們》（角川書店）。

一九六一年　昭和三十六年　三十八歲

五月，出版《絲瓜君》（新潮社）。該年病情惡化，肺部動過三次手術。

一九六二年　昭和三十七年　三十九歲

七月出院，體力仍未恢復，僅發表少數短文。九月，出版《安岡章太郎·遠藤周作集》（《昭和文學全集20》，角川書店）、《遠藤周作集》（《長篇小説全集33》，講談社）。

一九六三年　昭和三十八年　四十歲

一月，發表〈男人與八哥〉（《文學界》）、〈前一天〉（《新潮》）、〈童話〉（《群像》）。八月，發表〈我的東西〉（《群像》）。十月，發表〈雜樹林中的醫院〉（《世界》）。十一月，發表〈十字路口的揭示板〉（《新潮》）。該年，由駒場遷至町田市玉川學園，新居命名為「狐狸庵」，之後，號「狐狸庵山人」。

一九六四年　昭和三十九年　四十一歲

二月，發表〈四十歲的男人〉（《群像》）。三月，出版《我·拋棄了的·女人》（文藝春秋新社）及《遠藤周作·小島信夫集》（《新日本文學全集9》，集英社）。七月，出版《絲瓜君》（東方社）。九月，發表〈歸鄉〉（《群像》）。十月，出版《一·二·三！》（中央公論社）。

一九六五年　昭和四十年　四十二歲

一月，發表〈大病房〉（《新潮》）及〈雲仙〉（《世界》）。六月，出版《狐狸庵閒話》（桃源社）、《留學》（文藝春秋新社）。十月，出版《哀歌》（講談社）。該年，為新潮社撰寫長篇小說取材，與三浦朱門數度遊長崎、平戶。

一九六六年　昭和四十一年　四十三歲

三月，出版《沉默》（新潮社）。五月，發表戲劇〈黃金國〉（《文藝》），出版《遠藤周作集》（《現代之文學37》，河出書房）。十月，發表〈雜種狗〉（《群像》）、《協奏天曲》（講談社）。《沉默》獲第二屆谷崎潤一郎獎。該年起任成城大學講師三年，講授「小說論」。

一九六七年　昭和四十二年　四十四歲

一月，發表〈化妝後的男人〉（《新潮》）、出版《福永武彥．遠藤周作集》（《我們的文學10》，講談社）。五月，當選日本文藝家協會理事。出版《吊兒郎當生活入門》（未央書房）、《切支円時代的知識分子——叛教與殉教》（三浦朱門合著，日本經濟新聞社）。七月，發表〈如果〉（《文學界》）、〈塵土〉（《季刊藝術》）。八月，受好友葡萄牙大使阿爾曼特．馬爾提斯之招待訪葡，獲頒騎士勳章。

一九六八年　昭和四十三年　四十五歲

一月，發表〈影子〉（《新潮》）、〈六日之旅〉（《群像》）。二月，發表〈名叫優麗亞的女子〉（《文藝春秋》）。三月，出版《堀田善衛・遠藤周作・阿川弘之・大江健三郎集》（《現代文學大系61》，筑摩書房）。八月，發表〈暖春的黃昏〉（《中央公論》）。九月，出版《有島武郎・椎名麟三・遠藤周作集》（《日本短篇文學全集21》，筑摩書房）。十一月，出版《影子》（新潮社）。該年，任《三田文學》總編輯，任期一年。

一九六九年　昭和四十四年　四十六歲

一月，發表〈母親〉（《新潮》）。為新潮社準備長篇小說，前往以色列、羅馬，二月返日。二月，發表〈小鎮上〉（《群像》），出版《遠藤周作集》（新潮日本文學56，新潮社）。四月，出版《遠藤周作集》（大光社），應美國國務院之邀赴美，五月返日。八月，出版《不得了》（新潮社）、《中村真一郎・福永武彥・遠藤周作集》（中央公論社）、《遠藤周作幽默小說集》（講談社）。十一月，發表〈學生〉（《群像》）、〈加里肋亞的春天〉（《群像》）。

一九七〇年　昭和四十五年　四十七歲

二月，出版《遠藤周作怪奇小說集》（講談社）。四月，與矢代靜一、阪田寬夫、井上洋治前往以色列，五月返日。十月，發表〈巡禮〉（《群像》）。

一九七一年　昭和四十六年　四十八歲

一月，出版《切支丹的故鄉》（人文書院）。五月，出版《母親》（新潮社）。九月，出版《遠藤周作》（《現代的文學20》，講談社）。十月，出版《埋沒的古城》（新潮社）。十一月，出版《遠藤周作劇本集》（講談社）。該年，獲羅馬教廷頒贈西貝斯特理勳章。

一九七二年　昭和四十七年　四十九歲

一月，發表〈僕人〉（《文藝春秋》）。三月，出版《現在是流浪漢》（講談社）、《狐狸庵雜記》（每日新聞社）。為晉見羅馬教宗，與三浦朱門、曾野綾子訪羅馬；為完成《死海之畔》前往以色列，四月返日。十月，出版《吊兒郎當人類學》（講談社）；任文藝家協會常務理事。該年，《海與毒藥》英譯本出版；《沉默》在瑞典、挪威、法國、荷蘭、西班牙等國翻譯出版。

一九七三年　昭和四十八年　五十歲

一月，出版《狐型狸型》（番町書房）。四月，出版《吊兒郎當愛情學》（講談社）。六月，出版《死海之畔》（新潮社）。九月，出版《湄南河的日本人》（新潮社）。十月，發表〈手指〉（《文藝》），出版《耶穌的生涯》（新潮社）。十一月，出版《遠藤周作第二幽默小說集》。十二月，出版《吊兒郎當怠談》（每日新聞社）。

一九七四年　昭和四十九年　五十一歲

一月，出版《吊兒郎當好奇學》（講談社）、《小丑之歌》（新潮社）。七月，《遠藤周作文庫》（共五十一冊，新潮社）開始發行。十月，出版《喜劇新四谷怪談》（新潮社）、《最後的殉教者》（講談社）。為新潮社的長篇小說取材，前往墨西哥，同月返日。

一九七五年　昭和五十年　五十二歲

二月，出版《遠藤周作文學全集》（全十一卷，新潮社），至十二月出齊；接受日航招待，與北杜夫、阿川弘之遊歐，同月返日。八月，出版《遠藤周作推理小說集》（講談社）。

一九七六年　昭和五十一年　五十三歲

四月，發表〈聖母頌〉（《文學界》）。六月，為《鐵之枷鎖——小西行長傳》取材，前往韓國，同月返日。七月，出版《我的耶穌——為日本人而寫的聖經入門》（祥傳社）。九月，應日本學會之邀前往美國，於紐約舉行演講。繞道洛杉機、舊金山，於同月返日。

一九七七年　昭和五十二年　五十四歲

一月，任芥川獎審查委員。四月，出版《鐵之枷鎖——小西行長傳》（中央公論社）。五月，出版《走馬燈——他們的人生》（每日新聞社）。

一九七八年　昭和五十三年　五十五歲

四月，以《耶穌的生涯》獲國際達克·哈瑪紹爾特獎。七月，出版《基督的誕生》（新潮社），該年，義大利翻譯《耶穌的生涯》，波蘭翻譯《我·拋棄了的·女人》，英國翻譯《火山》出版。

一九七九年　昭和五十四年　五十六歲

二月，《基督的誕生》獲讀賣文學獎。為《山田長政》一書取材，前往泰國，同月返日。三月，搭伊莉莎白皇后號油輪訪大連，同月返日。四月，出版《槍與十字架》（中央公論社）。該年，獲日本藝術院獎。

一九八〇年　昭和五十五年　五十七歲

四月，出版《武士》（新潮社）。五月，率劇團「樹座」赴紐約。九月，出版《作家的日記》（作品社）。十二月，出版《正午的惡魔》（新潮社）。《武士》獲野間文藝獎。

一九八一年　昭和五十六年　五十八歲

四月，出版《王國之道——山田長政》（平凡社）。六月，發表〈頌獎之夜〉（《海》）。該年獲選聘為藝術院會員。

一九八二年　昭和五十七年　五十九歲

一月，出版《女人的一生①》。三月，出版《女人的一生②》（朝日新聞社）。四月，英國翻譯《武士》出版。十一月，出版《冬之溫柔》（文化出版局）。

一九八三年　昭和五十八年　六十歲

四月，發表〈六十歲的男人〉（《群像》），出版《惡魔的午後》（講談社）。六月，出版《對我而言神是……》（光文社）。八月，出版《多讀書、多遊玩》（小學館）、《遇見耶穌的女人們》（講談社）。

一九八四年　昭和五十九年　六十一歲

九月，出版《活生生的學校》（文藝春秋社）。英國翻譯出版短篇小說集（〈四十歲的男人〉等十篇）。

一九八五年　昭和六十年　六十二歲

四月，往英國、瑞典、芬蘭旅行，於倫敦某飯店偶遇格雷安・葛林，相談甚歡。六月，當選日本筆會第十任會長。赴美，往聖・克拉拉大學接受榮譽博士學位。七月，出版《我喜愛的小說》（新潮社）。十月，出版《追尋真正的我》（海龍社）。十二月，出版《宿敵》（上／下）（角川書店）。

一九八六年　昭和六十一年　六十三歲

一月，出版《心之夜想曲》（文藝春秋）。三月，出版《醜聞》（新潮社）。五月，率劇團「樹座」赴倫敦第二次海外公演，上演《蝴蝶夫人》。十一月八日，應台灣輔仁大學外語學院之邀蒞台，於「第一屆國際文學與宗教會議」中演講，同月十二日返日。《母親》、《影子》中譯本出版。

一九八七年　昭和六十二年　六十四歲

一月，辭去芥川獎評審委員工作。二月，出版《我想念的人》（講談社）。五月，遠赴美國，獲頒喬治大學的名譽博士學位，同月歸國。十月，應韓國文化院之邀訪韓，會唔作家尹興吉，同月歸國。十一月，攜妻參加「沉默」之舞台，長崎外海町的「沉默之碑」揭幕典禮，碑上刻有「主啊！人類是如此悲哀，大海卻異常蔚藍。」十二月，遷居目黑區中町，出版《像妖女般》（講談社）。該年，日本筆會會長改選，遠藤先生蟬連。加賀乙彥受洗時，遠藤當他的教父。

一九八八年　昭和六十三年　六十五歲

一月，於《讀賣新聞》連載以戰國新史料《武功夜話》為資料的戰國三部曲開端《反逆》，直到隔年二月。《武功夜話》於一九八七年由新人物往來社出版（全四卷・補卷一），遠藤讀後，拜訪其舞台愛知縣江南市舊前野村，及附近木會川川筋眾的故鄉，此後，木會川便成為遠藤晚年中心眷戀之地。四月，與夫人同赴倫敦，同月歸國。六月，安岡章太郎受洗時，成為其教父。八月，以日本筆會會長身分出席國際筆會的漢城大會，九月歸國。十一月，夫妻一同參加於《反逆》登場的遠藤母親之遠祖（戰國竹井一族）的出生地——岡山縣小田郡美星町（中世夢原）——「血之故鄉」石碑的揭幕典禮。英國彼得歐文出版社出版《醜聞》。

一九八九年　昭和六十四年・平成元年　六十六歲

四月，辭去日本筆會會長。前往北琵琶湖清水谷及小谷城尋找歷史小說的題材，「湖北之春」銘記心中。十二月，父常久過世（九十三歲）。雖一直無法原諒拋棄母親的父親，但最後還是體諒父親的孤獨，前往探視。這一年，提倡「回應老人所需的老人志工」，成立「銀之會」志工團。英國彼得歐文出版社出版《留學》。

一九九〇年　平成二年　六十七歲

二月，為新長篇作品取材，遠赴印度，在德里的國立博物館看到查姆達像，前去Benares取材，同月回國。七月，遷往目黑的花房山工作。八月，開始創作日記（歿後，出版《「深河」創作日記》）。九月，開始連載《男人的一生》。

一九九一年　平成三年　六十八歲

一月，擔任三田文學會理事長。五月，赴美參加約翰・凱洛爾大學舉辦的遠藤文學研究學會，同時獲頒名譽博士學位。與馬丁・史科西斯導演會晤，商討《沉默》拍片事宜，同月歸國。九月，天主教東京教區百週年紀念，於中央會館發表演說。十二月，赴台灣，獲頒輔仁大學名譽博士學位。

一九九二年　平成四年　六十九歲

九月，診斷出腎有問題，隔月入院檢查。

一九九三年　平成五年　七十歲

五月，住進順天堂大學醫院，接受腎臟病的腹膜透析手術。隨即展開三年半與病魔搏鬥的住出院生活。六月，新作長篇小說《深河》由講談社出版發行。出版時，克服心臟引發的危篤狀況，撫摸送至床邊的《深河》。十一月，松村禎三作曲的歌劇《深河》於生日劇場首演。

一九九四年　平成六年　七十一歲

一月，於《朝日新聞》連載最後的歷史小說〈女〉，直到十月，《深河》獲每日藝術獎。四月，英國彼得歐文出版社出版《深河》，是第十三部英譯版作品。隔月，《紐約時代》刊登橫跨二頁的書評、入圍INDEPENDENT新聞主辦之外國小說獎決選等，於世界各地獲得極高的評價。五月，原作《我．所拋棄的．女人》改編而成的音樂劇《別再哭泣》於音樂座公演。英國出版英譯版的《我．所拋棄的．女人》。

一九九五年　平成七年　七十二歲

一月，於《東京新聞》連載〈黑色揚羽蝶〉，因為健康不佳於三月二十五日停止連載。四月，再次住院。卸任三田文學會理事長。六月，出院。電影《深河》（熊井啓導演）殺青，遠藤觀看試片後哽咽不已。九月，因腦內出血住進順天堂大學醫院，之後，無法言語，藉緊握順子夫人之手傳達意思。十一月，獲頒文化勳章。

一九九六年　平成八年　七十三歲

四月，住院治療腎臟病。由腹膜透析換成血液透析。奇蹟式地好轉，其間口述筆記〈回憶佐藤朔老師〉成為絕筆之作。九月二十九日下午六點三十六分，因肺炎引起呼吸不順，逝世於醫院。臨走之際神色洋溢光采，握著順子夫人的手說道：「我已經走進光環中，見到母親及兄長，妳可以放心了。」十月二日，在佐麴町的教堂舉行告別式。彌撒司儀是井上洋治神父，由安岡章太郎、三浦朱門、熊井啓致悼辭。參加告別獻花的群眾多達四千人。靈柩中依其遺志置有《沉默》、《深河》兩部作品。遺骨葬在位於府中天主教墓園的遠藤家之墓，埋在母親與兄長之間。

一九九七年　平成九年

九月二十九日，近千位友人聚集於東京會館，舉行「遠藤周作先生追憶會」。十月，原作《我．所拋棄的．女人》電影版《愛》（熊井啓導演）殺青。

一九九八年　平成十年

四月，世田谷文學館舉辦「遠藤周作展」（六月結束）。七月，輕井澤高原文庫舉辦「遠藤周作和輕井澤展」（九月結束）。

一九九九年　平成十一年

長崎縣外海町的遠藤周作文學館於這一年完工。

內文簡介

一九九六年九月二十九日，一生為天主服務、奉獻的遠藤周作先生離開人世，回到主的身旁，家人遵奉遺言把《沉默》和《深河》放入棺中陪伴遠藤；這代表了遠藤對其文學創作的評價與總結。其實，這兩本書除了他自認為是自己的代表作之外，它們同時還被公認為是二十世紀日本文學的代表作。

《深河》是遠藤生前最後的著作，獲得極高的評價。《沉默》則發表於一九六九年，是探討遠藤文學的最重要作品之一，評價極高，榮獲第二屆谷崎潤一郎獎，其中探討基督宗教在東方社會紮根時面臨的問題，包含東西方文化的差異等等。之所以取名為「沉默」，理由有二：㈠反抗歷史的沉默；㈡探索神的沉默。

故事發生在德川幕府時代禁教令下長崎附近的小村子，一個葡萄牙耶穌會的教士偷渡到日本傳教，並調查恩師因遭受「穴吊」而宣誓棄教一事，因為這事在當時歐洲人的眼中，不只是個人的挫折，同時也是整個歐洲信仰、思想的恥辱和失敗。在傳教與尋訪的過程中，信仰與反判、聖潔與背德、強權與卑微、受難與恐懼、堅貞與隱忍、掙扎與超脫……所有的兩難情境都面臨了，逼迫著他對基督的信仰進行更深層且更現實的思索，最終，他彷彿也走過一趟恩師的心路歷程，擁有自己對信仰的詮釋與實踐。

在近代日本文學中居承先啓後地位的遠藤周作，一生獲獎無數，著作等身，曾獲芥川獎、新潮社文學獎、每日出版文學獎、谷崎潤一郎獎、野間文學獎等，一九九五年更榮獲日本文化勳章。

作者

遠藤周作

一九二三年生於東京，慶應大學法文系畢業，別號狐狸庵山人，曾先後獲芥川獎、谷崎潤一郎獎等多項日本文學大獎，一九九五年獲日本文化勳章。遠藤承襲了自夏目漱石、經芥川龍之介至崛辰雄一脈相傳的傳統，在近代日本文學中居承先啓後的地位。

生於東京、在中國大連度過童年的遠藤周作，於一九三三年隨離婚的母親回到日本；由於身體虛弱，使他在二次世界大戰期間未被徵召入伍，而進入慶應大學攻讀法國文學，並在一九五〇年成爲日本戰後第一批留學生，前往法國里昂大學留學達二年之久。

回到日本之後，遠藤周作隨即展開了他的作家生涯。作品有以宗教信仰爲主的，也有老少咸宜的通俗小說，著有《母親》、《影子》、《醜聞》、《海與毒藥》、《沉默》、《武士》、《深河》等書。一九九六年九月辭世，享年七十三歲。

譯者

林水福

日本國立東北大學文學博士。曾任輔仁大學外語學院院長、日本國立東北大學客座研究員，梅光女學院大學副教授、中國青年寫作協會理事長、中華民國日語教育學會理事長；現任國立高雄第一科技大學外語學院院長、應用日語系專任教授。

著有《讚岐典侍日記之研究》（日文）、《他山之石》、《日本現代文學掃描》、《中外文學交流》（合著）、《源氏物語是什麼》（合著），譯有遠藤周作《母親》、《醜聞》、《武士》、《沉默》、井上靖《蒼狼》等書及堺屋太一《常識大破壞》（立緒文化出版）；評論、散文、專欄散見各大報刊、雜誌。

研究範疇原以日本文學與日本文學翻譯爲主，近幾年來，亦嘗試將觸角延伸到台灣文學研究及散文創作。

責任編輯

馬興國

中興大學社會系畢業；資深編輯。

新世紀叢書（宗教）

跨越希望的門檻

教宗若望保祿二世◎著
定價／精裝350元、平裝280元

生生基督世世佛

佛陀與基督的相遇　一行禪師◎著
定價／230元

生命之不可思議

達賴喇嘛揭開輪迴之謎
達賴喇嘛◎著
定價／230元

禪與漢方醫學

醫學的哲學
日本花園大學◎主編
定價／250元

一條簡單的道路

諾貝爾和平獎得主德蕾莎修女的質樸之道
Lucinda Vardey◎主編
定價／210元

慈悲

達賴喇嘛與八位精神治療心理輔導界頂尖人士對話　達賴喇嘛◎著
定價／230元

神的歷史

探索三大一神教權威鉅著
定價／460元

教宗的智慧

Matthew E. Bunson◎主編
定價／200元

心靈的殿堂

世界各大宗教的對話
Michael Tobias・Jane Morrison等◎著
定價／350元

法輪常轉

女性靈修之路
Sandy Boucher◎著
定價／360元

藏傳佛教世界

西藏佛教的哲學與實踐
達賴喇嘛◎著
定價／250元

宗教與神話論集

李亦園◎著
定價／420元

中國傳統佛教儀軌

佛教儀軌制度基本介紹
張運華◎著
定價／260元

人的宗教

宗教史權威學者
休斯頓・史密士(Huston Smith)◎著
定價／400元

你如何稱呼神？

世界各大宗教入門
Marc Gellman・Thomas Hartman◎著
定價／250元
（原書名：神的名字）

新世紀叢書（文化）

田野圖像
李亦園◎著
定價／350元

文化的視野
當代人文修養四講
傅佩榮◎著
定價／210元

世道
生命的學問十講
王邦雄◎著
定價／230元

文化與社會
當代文化分析大師的智慧
Jeffrey C. Alexander · Steven Seidman◎主編
定價／430元

反美學
後現代文化論集
Hal Foster◎著
定價／260元

飲食男女生活美學
當代人生活美學八講
龔鵬程◎著
定價／250元

衝突與和解
締造台灣和平文化
魏明德◎著
定價／160元

家庭論
諾貝爾經濟學獎得主貝克◎著
定價／450元

超越後現代心靈
休斯頓 · 史密士◎著
定價／300元

千禧之兆
比較文學與比較宗教的頂尖作品
哈洛 · 卜倫(Harold Bloom)◎著
定價／250元

孤兒 · 女神 · 負面書寫
文化符號的徵狀式閱讀
劉紀蕙◎著
定價／400元

新世紀叢書（文學）

大時代
端木蕻良四〇年代作品選
定價／480元

西方正典（上）（下）
西洋文學理論巨擘
哈洛 · 卜倫(Harold Bloom)◎著
定價／上、下各320元

航向愛爾蘭
葉慈與塞爾特想像
吳潛誠◎著
定價／260元

靠岸航行
文學與文化評論
吳潛誠◎著
定價／180元

島嶼巡航
黑倪和台灣作家的介入詩學
吳潛誠◎著
定價／130元

深河
近代日本文學大家遠藤周作◎著
定價／250元

新世紀叢書（心靈）

世紀末

偉大心靈對這個時代的反思

Nathan P. Gardels◎編

定價／350元

Rumi：在春天走進果園

伊斯蘭神祕主義重要詩人Rumi詩集

定價／精裝：360元、平裝：300元

四種愛

牛津大學教授C. S. Lewis◎著

定價／160元

孤獨

最真實、最終極的存在

Philip Koch◎著

定價／350元

情緒療癒

EQ作者丹尼爾・高曼◎主編

定價／280元

靈魂考

從古聖哲到當代藍調歌手的心靈探險筆記 Phil Cousineau◎著

定價／400元

孤獨世紀末

孤獨的世紀・孤獨的文化與情緒治療

Joanne Wieland-Burston◎著

定價／250元

愛的箴言

一行禪師◎著

定價／200元

新世紀叢書（生活美學）

簡單富足

寧靜愉悅的生活美學日記

Sarah Ban Breathnach◎著

定價／450元

擁抱憂傷

享譽全球的心靈治療大師

Stephen Levine 治療憂傷的名著

定價／320元

如果只有一年

若只剩一年可活，你要做些什麼？

Stephen Levine◎著

定價／380元

The Good Life

農莊生活手記

Helen & Scott Nearing◎著

定價／300元

新世紀叢書（神話）

神話

內在的旅程、英雄的冒險、愛情的故事
定價／360元

神話的智慧（上）（下）

時空變遷中的神話
定價／上、下冊各250元

千面英雄

坎伯的經典之作
定價／420元

坎伯生活美學

生活藝術的反思
定價／360元

新世紀叢書(藝術)

人生論
孤獨的滋味

定價／320元

藝術論・上卷
創造的狂狷

定價／350元

藝術論・下卷新版
苦澀的美感

定價／350元

畫家論
大師的心靈

定價／480元

新世紀叢書（榮格學說）

導讀榮格

超心理學大師榮格全集導讀
Robert H. Hopcke◎著
定價／230元

人及其象徵

榮格思想精華的總結
卡爾・榮格◎主編
定價／360元

榮格心靈地圖

人類神祕心靈世界的拓荒者
Murray Stein◎著
定價／250元

夢：私我的神話

夢是心靈最後的莽原
定價／360元

夢的智慧

夢搭起我們和古老智慧的橋樑
定價／320元

新世紀叢書（傳記）

無限風光在險峰

韋政通◎著
定價／300元

新世紀叢書（學思與思潮）

回眸學衡派

文化保守主義的現代命運
定價／300元

經典常談

新世紀的公民教育以經典展開
定價／120元

立緒學術叢書

認同．差異．主體性

從女性主義到後殖民文化想像
簡瑛瑛◎主編
定價／350元

簡樸思想與環保哲學

中國哲學會編輯　沈清松◎主編
定價／260元

天心與人心

中西藝術體驗與詮釋
沈清松、鄧福星、魏明德◎主編
定價／230元

空性與現代性

京都學派、新儒家到多音的佛教詮釋學
林鎮國◎著
定價／320元

21世紀的儒道

儒道兩家思想的現代出路
王邦雄◎著
定價／250元

文化的生活與生活的文化

中國哲學會編輯　沈清松◎主編
定價／300元

框架內外：藝術、文類與符號疆界

輔仁大學比較文學研究所◎策畫
劉紀蕙◎主編
定價／380元

戲曲源流新論

曾永義◎著
定價／300元

百年家族系列

張愛玲

馮祖貽◎著
定價／350元

曾國藩

董叢林◎著
定價／300元

世界公民叢書

論語（傅佩榮解讀）
新世紀繼往開來的思想經典
定價／450元．優惠價／380元

哈佛學者
哈佛學者關懷的視野
Peter Costa◎主編
定價／380元

世紀之路
改變中的全球秩序
Nathan Gardels◎主編
定價／320元

自求簡樸
世紀末生活革命
Duane Elgin◎著
定價／250元

知識份子十二講
余英時、李亦園等◎著
定價／160元

莊子（原著）
繼往開來的思想經典
莊子◎著
定價／200元

莊子
黃明堅◎解讀
定價／320元

老子
黃明堅◎解讀
定價／230元

與思想家對話
給無暇閱讀經典著作的人們
定價／250元

太平洋世紀叢書

民族國家的終結
全球知名財經策略家大前研一◎著
定價／300元

瞄準大東亞
新的繁榮動力怎樣改造全球市場
James Fallows◎著
定價／350元

龍的契約
香港歸還案外案
服部真澄◎著
定價／300元

常識大破壞
日本知名評論家C屋太一◎著
定價／280元

龍擊
龍將出擊，何時何地？
Humphrey Hawksley等◎著
定價／280元

誠信
全新的經濟學研究方向
Francis Fukuyama◎著
定價／350元

大棋盤
全球戰略大思考
布里辛斯基◎著
定價／250元

資本主義的未來
麻省理工學院經濟系教授余羅◎著
定價／350元

21世紀中華經濟區
一個全球關注的新經濟課題
田志立◎著
定價／300元

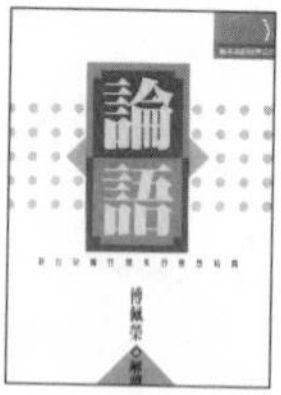

國家圖書館出版品預行編目資料

沉默／遠藤周作著；林水福譯. －初版
臺北縣新店市：立緒文化，2002（民 91）
面；　公分

ISBN 957-0411-43－0（平裝）

861.57　　　　900230392

沉默

出版——立緒文化事業有限公司
作者——遠藤周作
譯者——林水福

發行人——郝碧蓮
總經理兼總編輯——鍾惠民
副總經理——陳蕙慧
業務部經理——黃照美
編輯——許純青
行政專員——林秀玲
行銷專員——林時源
地址——台北縣新店市中央六街 62 號 1 樓
電話——(02)22192173 · 22194998
傳真——(02)22194998
E-Mail Address: service@ncp. com. tw
劃撥帳號——1839142-0 號　立緒文化事業有限公司帳戶
行政院新聞局局版臺業字第 6426 號

行銷代理——紅螞蟻圖書有限公司
電話——(02)27953656　傳真——(02)27954100
地址——台北市內湖區舊宗路二段 121 巷 28-32 號 4 樓
排版——伊甸社會福利基金會附設電腦排版
印刷——祥新印刷股份有限公司

法律顧問——敦旭法律事務所吳展旭律師
　　　　　國際通商法律事務所黃台芬律師

分類號碼——861.00.001
ISBN 957-0411-43-0
出版日期——中華民國 91 年 1 月初版　一刷(1～3,000)

本書之中文版權由遠藤周作先生授權
立緒文化事業有限公司出版發行

定價◉250 元

立緒文化事業有限公司　信用卡申購單

■信用卡資料

信用卡別（請勾選下列任何一種）

□VISA　□MASTER CARD　□JCB　□聯合信用卡

卡號：________________

信用卡有效期限：______年______月

身份證字號：________________

訂購總金額：________________

持卡人簽名：________________（與信用卡簽名同）

訂購日期：______年______月______日

所持信用卡銀行________________

授權號碼：________________（請勿填寫）

■訂購人姓名：________________性別：□男□女

出生日期：______年______月______日

學歷：□大學以上□大專□高中職□國中

電話：________________　職業：________________

寄書地址：□□□

____

■開立三聯式發票：□需要　□不需要（以下免填）

發票抬頭：________________

統一編號：________________

發票地址：________________

■訂購書目：

書名：____________、______本。書名____________、______本。

書名：____________、______本。書名____________、______本。

書名：____________、______本。書名____________、______本。

共______本，總金額________________元。

⊙請詳細填寫後，影印放大傳真或郵寄至本公司，傳真電話：(02)2219-4998

信用卡訂購最低消費金額為一千元，不滿一千元者不予受理，如有不便之處，敬請見諒。